D1408118

Tables de Rêve

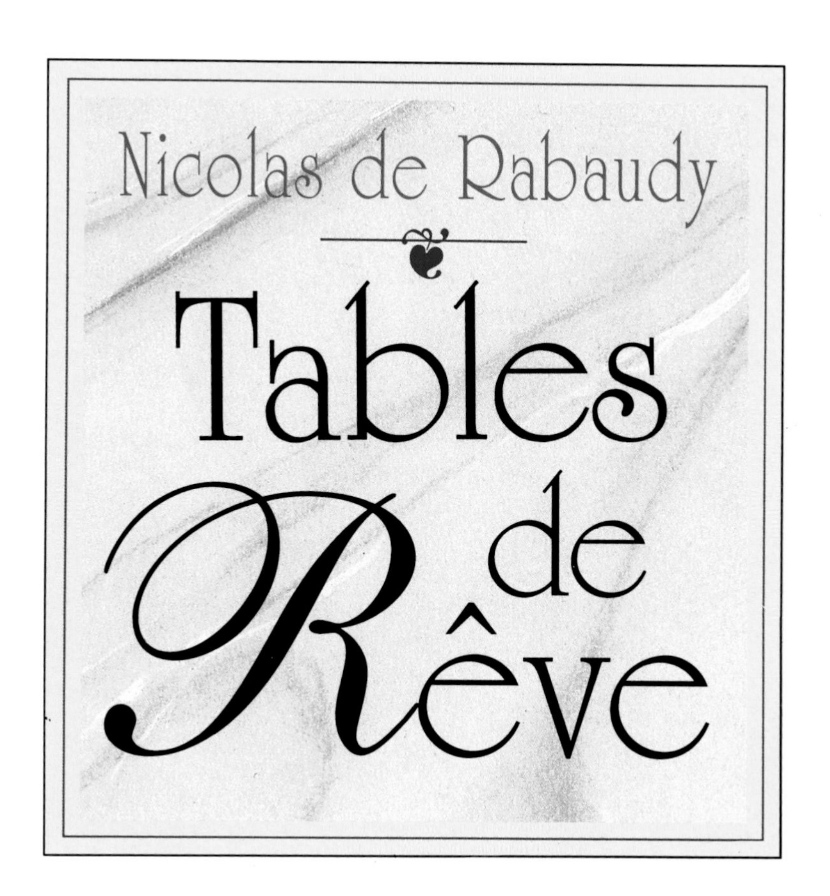

Photographies de
Alain Danvers
et
Jean-Claude Amiel

Solar

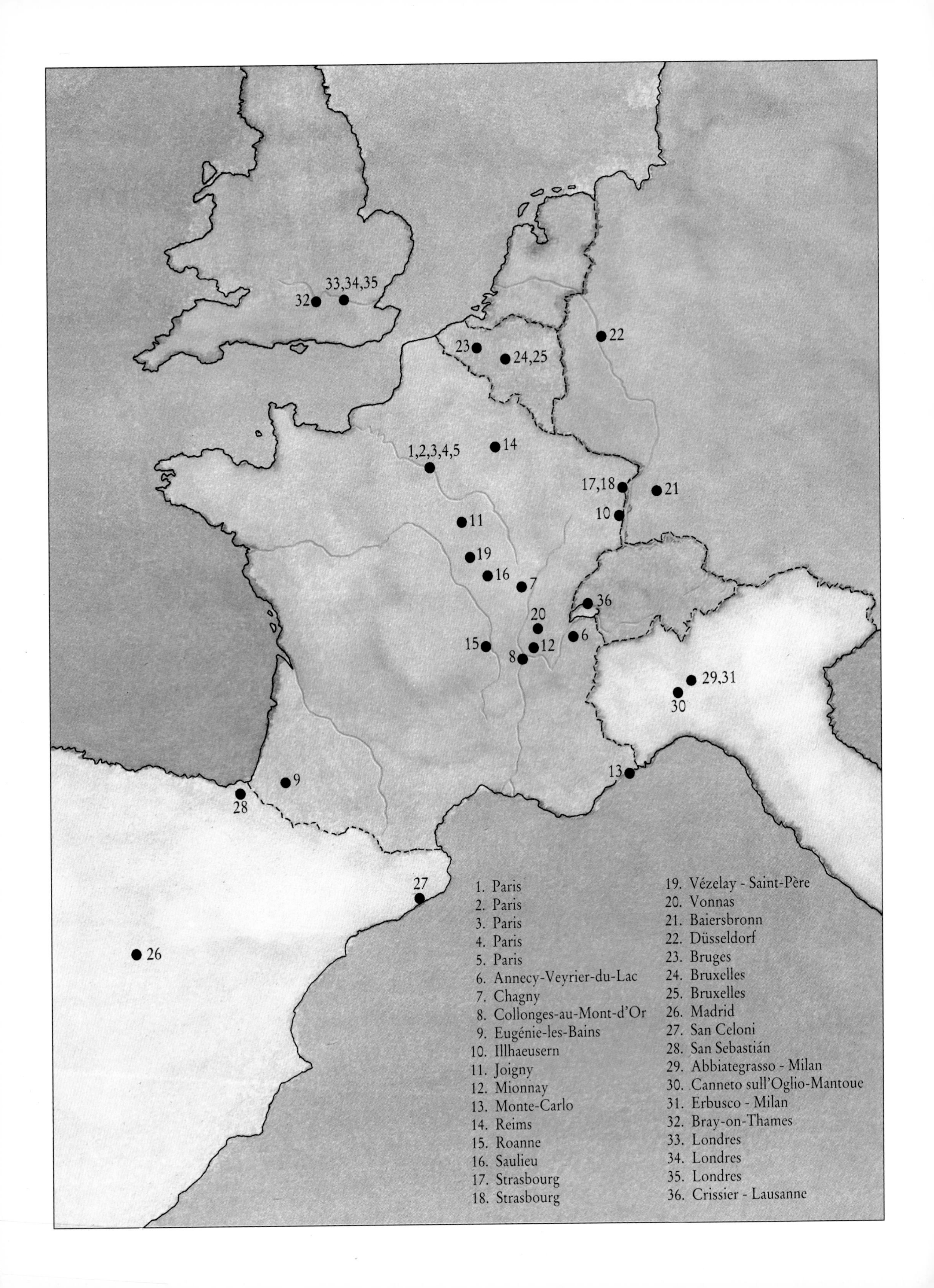
33,34,35
32
22
23
24,25
1,2,3,4,5
14
17,18
21
10
11
19
16
7
36
20
6
15
12
8
29,31
30
13
9
28
27
26
1. Paris
2. Paris
3. Paris
4. Paris
5. Paris
6. Annecy-Veyrier-du-Lac
7. Chagny
8. Collonges-au-Mont-d'Or
9. Eugénie-les-Bains
10. Illhaeusern
11. Joigny
12. Mionnay
13. Monte-Carlo
14. Reims
15. Roanne
16. Saulieu
17. Strasbourg
18. Strasbourg
19. Vézelay - Saint-Père
20. Vonnas
21. Baiersbronn
22. Düsseldorf
23. Bruges
24. Bruxelles
25. Bruxelles
26. Madrid
27. San Celoni
28. San Sebastián
29. Abbiategrasso - Milan
30. Canneto sull'Oglio-Mantoue
31. Erbusco - Milan
32. Bray-on-Thames
33. Londres
34. Londres
35. Londres
36. Crissier - Lausanne

SOMMAIRE

Pour Nadine et Edmond de Rothschild
amitié et reconnaissance
parce que c'est elle
parce que c'est lui.

Nicolas de Rabaudy

DU MÊME AUTEUR

Guide des meilleurs restaurants de France (Lattès, 1978)
Les 50 meilleurs restaurants de France (Lattès, 1979)
Léonel, cuisinier des grands (Presses de la Renaissance, 1980)
La cuisine chez Allard (Lattès, 1981)
Le savoir-boire, avec Jean-Luc Pouteau (Lattès, 1983)
Le champagne à la Belle Époque (Nathan, 1985)
Le mariage des mets et des vins, avec Jean-Luc Pouteau (Lattès, 1985)
Deutz, l'ascension d'un champagne symbole (2 M Éditions, 1986)
Les vins de rêve, avec Jean-Luc Pouteau (Solar, 1989)
La mémoire couleur du vin, avec Didier Michel et Jacques Puisais (Julien, 1993)
Dîners de Rêve (Solar, 1993)
Château Kirwan, histoire d'une Renaissance (Stock, 1994)

Photographies Louis Monier p. 94 et DR p. 24.

ISBN 2-263-02430-1
Code d'éditeur S02430

Un tour d'Europe des restaurants trois étoiles. Regard sur les chefs de cuisine, le Michelin et les gourmets

Trois événements d'extrême importance ont marqué l'histoire récente – la vie – de la grande restauration européenne et la valse des ténors de la cuisine :
– l'échec de Pierre Gagnaire à Saint-Étienne : un authentique créateur à genoux ;
– la retraite de Joël Robuchon : l'un des cuisiniers du siècle tire sa révérence ;
– l'installation d'Alain Ducasse à Paris : un défi et un pari.

Ces trois faits reflètent la situation contrastée de la France de la fine gueule, à la fois prospère (30 millions de chiffre d'affaires à la Côte d'Or de Bernard Loiseau) et saisie par le vertige de la récession (rares sont les trois étoiles de Paris, au nombre de cinq, complets au déjeuner).

Oubliées les années d'euphorie, la météo du succès a changé. Au beau fixe des années fric et frime a succédé la grisaille étoffée de quelques pics d'ensoleillement. La traque de la bonne chère comme loisir est passée de mode à l'exception des mordus de la bombance – les foodist, dit-on en Grande-Bretagne et aux États-Unis, deux nations conquises par l'ivresse de la bouche.

Les gens changent, leurs habitudes de table aussi. A Paris, il y a plus de restaurants étrangers que français : la pasta reine du monde alimentaire !

Il faut dire que certaines additions « coup de fusil » ont dissuadé le simple gourmet et favorisé d'autres désirs. D'autres passions que le croustillant de foie gras et la volaille de Bresse Albuféra. Les voyages aux quatre coins du globe ont entretenu des goûts venus d'ailleurs.

Et puis la crise économique larvée, depuis les séquelles de la guerre du Golfe, a rendu le public des restaurants frileux, d'une prudence de Sioux concernant l'énormité de certaines factures, du prix du homard, du bar et du caviar – la langouste n'est plus au menu.

La haute cuisine et l'apparat jugé déplacé de certains décors paraissent de plus en plus réservés à une élite fortunée, même si la cagnote des copains reste de mise en province, chez Veyrat, Loiseau, Troisgros, Meneau, Lameloise, Georges Blanc...

La prolifération des menus à prix étudiés (chez Alain Ducasse, à Paris) est bien la conséquence de ces additions inabordables pour le commun des mortels. On sussurre, entre gens avertis, la hauteur des sommes laissées par quelques superprivilégiés à Monaco ou chez Ducasse à Paris (Pétrus 61 : 22 000 francs, moitié prix qu'au Louis XV).

Ainsi les plaisirs de la subtile gourmandise à la française – le modèle pour l'Europe – surviennent-ils grâce à « ceux qui ont plus de repas que d'appétit » (Chamfort). Tant mieux. Les théâtres ferment s'il n'y a pas de public.

Cela posé, les grands restaurants, pour irremplaçables qu'ils soient, pièces uniques du patrimoine national, emploient une main-d'œuvre très qualifiée, en salle comme en cuisine, qui coûte très cher. Certains premiers maîtres d'hôtel touchent des salaires (le pourcentage de quinze pour cent) équivalant aux rémunérations des sénateurs. Accablés de multiples taxes fiscales ou sociales, d'impôts et de contrôles, certains chefs patrons sont condamnés à développer d'autres sources de profit, et la plupart des chefs, en dehors de Paris, de Londres ou de Madrid, sont devenus des marchands de sommeil, quand ils ne sont pas salariés par des groupes hôteliers, en Angleterre par exemple.

Le génial chef suisse Fredy Girardet chiffre à 30 % le manque à gagner sur la vente des vins pour les restaurants sans chambres. Grands cuisiniers, économiquement faibles dans un avenir proche ?

Pierre Gagnaire, l'ingrate faillite

Au printemps 1996, le Stéphanois Pierre Gagnaire annonçait la fermeture de son beau restaurant de style 1900 à Saint-Étienne, récompensé par la troisième étoile Michelin en mars 1993 – à la stupéfaction des professionnels. De formation autodidacte, ce grand garçon chaleureux et gai, vrai poète des saveurs – « fou cuisinant » selon Michel Piot –, n'aura ébloui que quelques dizaines de fins palais grâce à une succession de compositions culinaires jamais vues ni même imaginées. Un exceptionnel créateur abattu par l'absence de public averti, par la situation excentrée de Saint-Étienne (25 % de chômage), hélas loin des axes routiers des vacances – le guide Michelin 1994 (600 000 exemplaires) n'a pas pu drainer une assez vaste cohorte de gourmets rue Richelandière, vers la capitale du Forez, pour savourer le cœur de plat de saumon fumé aux céleris dans une gelée d'asperges vertes et l'incroyable peau de poisson craquante au jambon serrano.

Pierre Gagnaire, exilé de Saint-Étienne à Paris.

Au-delà d'un certain seuil géographique, face aux turbulences de la haute cuisine, le fameux ticket Michelin n'est plus valable. Constatation amère pour le guide rouge et son premier échec sanglant. Il n'y a pas de grands restaurants sans public.

Deux mois plus tard, en janvier 1996, Marc Veyrat, le berger marmiton des bords du lac d'Annecy, était mis en cessation de paiement, un vendredi soir d'hiver, pour un découvert de 300 000 francs. Grâce à l'intelligence et à la générosité du personnel, une collecte de fonds était organisée dare-dare, et le trou comblé avant que Marc Veyrat ne soit dépossédé de ses chéquiers, comme dans un film de bas étage. Des cas extrêmes, dira-t-on, qui n'ont pas force de loi. Aurait-on imaginé pareils sinistres quand Gault-Millau honorait Paul Bocuse, Fredy Girardet et Joël Robuchon du titre envié de « cuisiniers du siècle », et que la rumeur des toqués et des fumets tentait d'élever Robert Courtine, le chroniqueur du *Monde*, au titre de prince élu des gastronomes – c'était l'époque bénie de la bombance contemporaine. Bonheurs perdus ?

La retraite de Joël Robuchon

Du forfait de Pierre Gagnaire au départ de Joël Robuchon, le Poitevin, de son beau restaurant du Trocadéro, en juillet 1996, la relation imposerait-elle une forme de réflexion : où va la grande cuisine française si le chef le plus prestigieux, la conscience du métier, remise sa toque au vestiaire, tandis que les plus vivifiants des auteurs-créateurs, à la limite du génie, survivent dans un climat malsain, l'épée de Damoclès au-dessus du piano ? L'horizon se bouche, et le gourmet broie du noir.

Certes, Joël Robuchon a bien stipulé que sa retraite ne signifiait pas l'arrêt de ses activités culinaires, et l'on sait l'importance de ses projets touchant la transmission de son savoir-faire et son éthique de prélat. Le maître de la gelée de caviar n'a pas choisi de se retirer du monde des casseroles, des recettes et des émulsions savantes. Il a abandonné la restauration de luxe pour embrasser d'autres destinées. Bravo : nous ne le perdons pas tout à fait.

Il reste que les causes de ce départ dûment prévu affectent l'ensemble des chefs leaders de la haute gastronomie : le stress quotidien, l'obligation de jouer la perfection aux deux repas, le poids des médias, les sanctions des guides, les exigences des gourmets compliquent à l'excès la tâche des cuisiniers, même les plus capés. L'art de cuire et d'assaisonner n'a plus rien à voir avec l'intuition géniale de Michel Guérard en 1975 : « Il faut faire la cuisine comme l'oiseau chante ! » La mélodie ne se fredonne plus sur la même partition. Tout a changé, même si des très grands solistes sont apparus sur le devant de la scène gourmande.

Le défi d'Alain Ducasse

Pendant un an, Joël Robuchon a cherché un successeur. Qui oserait prolonger l'œuvre inachevé ? Afin d'aider le maître poitevin, la Générale des eaux, propriétaire des murs de cet hôtel particulier 1900, a favorisé la candidature du seul chef patron capable de reprendre les fourneaux (et la clientèle haut de gamme) de ce trois étoiles aussi coûteux (50 employés) que raffiné : Alain Ducasse. Le 12 août 1993, Alain Ducasse et son disciple Laurent Gras ont pris possession des lieux et enchanté les premiers clients une semaine plus tard, grâce à une longue carte de superbes mets à la française à base de produits de saison sélectionnés. Le classicisme exalté.

Le relais gourmand a été transmis mieux que quiconque pouvait l'imaginer.

La persistance du modèle français

Si le Michelin France a su conserver son statut de référence, de point d'ancrage des valeurs culinaires, c'est bien parce que les trois étroiles de l'Hexagone (et de Suisse, pour Girardet) demeurent des leaders incontestés de la restauration mondiale.

Le pays de Carême, de Brillat-Savarin, d'Escoffier, de Fernand Point possède une légitimité historique – et contemporaine – que personne, pas un seul gourmet, ne songe à lui contester : la France *first*.

Seuls les queux asiatiques de Hong Kong, par exemple, rivalisent en raffinement, recherches et créativité. Les classements réguliers de Patricia Wells dans le *New York Herald Tribune* le montrent bien : les queux aux yeux bridés dament le pion aux visages pâles. C'est ainsi.

Cela dit, la France des tables phares attire irrésistiblement les chefs et les patrons étrangers. Le rituel pèlerinage dans les plus fameuses maisons de bouche, selon un itinéraire dûment mis au point, demeure le passage obligé, l'initiation majeure à l'art de nourrir son prochain. Pour la quasi-totalité des trois étoiles étrangers visités et décrits dans ces *Tables de rêve*, le voyage « gastronomique » en France reste une nécessité absolue, une sorte de révélation des tables de la loi gourmande. Voyez ce qu'en disent Nadia et Alfredo Santini du Pescatore, près de Mantoue, Santi Santamaria de San Celoni, près de Barcelone, et, à Bruges, Gert Van Hecke, élève révérentieux du maître Alain Chapel.

Le gourmet éprouvera une vraie joie en constatant que la visite chez les Troisgros de Roanne provoque les mêmes éloges que du temps de Jean, le génial cuiseur. Nadia Santini, fantastique apprêteuse de pasta, a même décelé des influences italiennes dans les partitions gourmandes des Roannais, père et fils, bien lisibles dans les lasagnes aux truffes noires.

Robuchon, Ducasse, Senderens, Guérard, Georges Blanc, Loiseau, Taillevent, l'Ambroisie, la Tour d'argent, entre autres, tissent le fil d'Ariane de ce périple hautement significatif de la prééminence de la cuisine à la française aux multiples accents. La source du savoir-mitonner ne s'est pas déplacée, même si des influences étrangères venues de Chine, du Japon, de la Méditerranée s'infiltrent dans la palette des meilleurs praticiens – on l'a bien observé chez Gagnaire, Veyrat, Bras, Passard, Rollinger...

C'est pourquoi la querelle franco-française à propos de la primauté du terroir sur les saveurs surgies d'ailleurs a fait long feu, sans dépasser les frontières du pays de Rabelais.

Et sans parvenir à émouvoir l'élite des gourmets : voilà de byzantines rivalités de chefs attisées par les chroniqueurs à l'imagination fertile. Le poulet au curry est-il une trahison tout comme le caneton de Challans au poivre de Madagascar ? Et, comme l'a clamé Alain Senderens avec justesse, « dans le cassoulet, c'est le haricot qui est étranger ! ».

A-t-on cherché à brider, à canaliser, à diriger la gestuelle du queux moderne ? Foutaises ! Gaston Gallimard indiquait-il à Sartre le sujet de ses ouvrages ? Et le patron de la salle Pleyel les partitions au virtuose Maurizio Pollini ? Est-ce un habitué de Maxim's qui a suggéré à Alex Humbert de trancher du saumon en escalope devant les yeux éberlués des Troisgros ? Et un fidèle du pot-au-feu d'Asnières de Michel Guérard d'éviter le beurre aillé des escargots, une véritable pillule de cholestérol ? Et on ne dira rien des trouvailles « épicées » des frères Minchelli, de Jacques Le Divellec, du magnifique Rollinger à Cancale – le goût du poisson et des crustacés réinventé par le biais d'autres fragrances.

En vérité, le grand cuisinier panache à sa guise l'ici et l'ailleurs, la tradition et la modernité des goûts selon son talent, son expérience, sa culture (voyages), ses papilles, sa sensibilité – et, quelquefois, son génie.

Alain Ducasse dans le décor de Joël Robuchon.

La cuisine de l'auteur est signée. Elle lui survit, et elle se transmet si elle a été aimée, désirée, ratifiée par le public. La quenelle de brochet qui quadruple de volume nous régale depuis deux siècles, comme le château d'Yquem !

Si la gelée de caviar à la crème de chou-fleur, invention magistrale de Joël Robuchon, peut être considérée comme un chef-d'œuvre de la fin du XXe siècle, c'est que toute la cavité buccale est euphorisée par l'iode, et la douceur. Ce n'est ni une composition ancrée dans le terroir maritime ni une création « russo-iranienne » francisée – c'est le fruit des recherches d'un génie de l'architecture gourmande. Rien de plus ! Quels seront les grands plats du siècle ?

Hors de France, l'uniformisme et la personnalisation

L'influence française demeure si forte, si prégnante, qu'elle oriente la manière des chefs étrangers les plus brillants. La grande cuisine déteint jusqu'au décalque : certaines préparations à Londres, à Madrid, en Belgique sont de simples duplicatas du bar au caviar, de la morue fraîche aux épices, du foie gras chaud aux girolles et des gelées au tourteau, au gingembre – sans parler des multiples formes de croustillant et de risotto. La cuisine vit de modes qui, hélas, se démodent. Oui, il existe un modèle de carte trois étoiles reproductible partout par de bons plagiaires – en toute innocence. Le salut, c'est la méthode française « champenoise », comme pour le mousseux.

Si les imitateurs forment le gros des épigones « francophiles », les aventuriers du goût se raréfient. Un plat original à cent pour cent est une exception, un style ferme et

Élève d'Alain Chapel, Gert Van Ecke, trois étoiles de Bruges.

dépouillé aussi, comme celui du Pascatore en Italie, et de Gert Van Hecke à Bruges, deux superbes révélations. Allez-y, hiver comme été !

Cela posé, au-delà des frontières, l'Europe de la gueule en pente se porte vaille que vaille, mi-boiteuse, mi-réjouie. Le déjeuner s'effondre, on fait dans la modestie, on adopte le luxe en veilleuse et des prix pour raison garder. Les nouveaux trois étoiles bannissent les décors tape-à-l'œil, les salles à manger façon Ritz et les lourds rideaux Sonia Rykiel, comme aux Ambassadeurs du Crillon, un admirable restaurant-musée dont le chef Christian Constant (deux étoiles) ne parvient pas à plaire aux têtes pensantes du Michelin – anomalie mystérieuse.

Le régal des papilles vécu dans l'allégresse n'a pas disparu, mais on met la pédale douce – pas de vente de grand vin au-delà de 750 francs dans les restaurants les plus capés. C'est à qui « listera » des flacons de petite origine… et des matières premières comme le thon, la bonite, la pintade…

L'heure est aux restrictions. Jusqu'à l'installation des nouveaux cuisiniers : rarissimes sont les créations de lieux de restauration, comme Jean-Pierre Bruneau à Bruxelles, Alain Passard à Paris, Antoine Westerman à Strasbourg ou Marc Veyrat à Annecy. Les derniers promus en Italie et en Espagne se contentent de transformer la maison familiale en auberge rustico-noble ; on accepte de juteuses propositions de groupes hôteliers – Marco Pierre White et Nico à Londres, employés par Granada au Hyde Park Hotel et à Grosvenor House. La SBM sur le Rocher monégasque a ouvert la voie pour Alain Ducasse.

Voilà des signes patents de la crise larvée qui ne s'est pas résorbée vivement, comme on le prédisait.

Le Michelin *: guillotine ou tremplin*

En dépit de la morosité ambiante, des chutes de fréquentation vertigineuses – d'où l'émergence de bistrots ou auberges chez Guérard, Blanc, Lorain, Meneau –, le Michelin continue de promener Bibendum sur la route des bonnes ou très bonnes tables.

En 1995, le Michelin, dès sa sortie en mars, a figuré quelque temps dans la liste des best-sellers de *L'Express*, à la troisième place. Une performance.

En France, le guide rouge conserve une aura, un prestige, une influence inégalée, d'autant que le Gault et Millau, perturbé depuis le départ de Christian Millau et de Monique Pivot, cherche un second souffle, un chemin mieux balisé par les toques, les notes et des avis plus cohérents. Un guide gastronomique, c'est l'affaire d'un homme ou d'un duo uni par la même philosophie gourmande – laquelle ? Le Michelin et ses directeurs successifs, MM. Trichot, Aubry, Kieffer et Bernard Naegellen, responsable depuis les années 90, décernent des étoiles (ou macarons) selon des visites, inspections et questionnaires mystérieux. L'anonymat est la règle, l'inspecteur ne se fait pas connaître, sauf quand il est reconnu par des restaurateurs physionomistes – le jeu de piste se trouve simplifié depuis que Naegellen consent à paraître sur le petit écran pour le service après-vente. En mars, les verdicts sont attendus dans la fièvre. Des rumeurs circulent d'offices en cabinets d'amateurs. « Si je perds la troisième étoile, je vends sur-le-champ », entend-on de la bouche de patrons sur le qui-vive.

Il ne fait aucun doute que les étoiles du guide rouge constituent un puissant vecteur de clientèle, jusqu'à 50 % d'augmentation en un an. La promotion par le Michelin produit des effets considérables, à mille lieux de ce que l'on peut imaginer : des déjeuners complets ! C'est que la pieuvre Michelin s'étend aux cinq continents, phénomène unique dans le monde des médias.

Certains chefs patrons ont été sauvés du désastre grâce à la première étoile – Bernard Loiseau à la Côte d'Or de Saulieu en 1978. Quant à la deuxième, elle est là, rampe d'accès naturelle vers la troisième étoile pour les chefs ou patrons qui visent le sommet. Ce n'est pas le cas de tous les gros bonnets : la troisième étoile, signe d'une certaine perfection régulière, crée un stress permanent. Elle fascine et fait peur. Mais elle demeure le bâton de maréchal de tout cuisinier qui respecte son artisanat d'art – toujours mieux pour le bon plaisir du mangeur. Pour nombre de restaurateurs français, l'obtention de la troisième étoile a été le plus beau jour de leur vie professionnelle. Et la perte tant redoutée – la Tour d'Argent en 1996 – un drame à surmonter.

Les caciques du Michelin savent tout cela et jouent de l'effet Bibendum à leur façon. Plus on avance vers la fin du siècle, plus ils restreignent la distribution d'étoiles – cinq ou six nouveaux étoilés à Paris par an, la portion congrue. Pas d'extension ni de dilution. Il n'y a que trois marches sur le podium ! Et l'attribution des fourchettes, prélude à la course aux étoiles, est plus honorifique que bénéfique, côté clients.

Face à la récession ambiante, Michelin joue la prudence. On ne saurait accélérer le processus et favoriser le déclin de la restauration française et européenne. Le guide rouge s'est fait, depuis 1990, plus protecteur que destructeur, car il voit bien la fragilité économique du secteur : la haute cuisine et les monuments de la restauration de luxe sont des chefs-d'œuvre en péril.

Le propos basique du guide rouge, c'est la prescription des bonnes tables et hôtels, et l'itinéraire pour y parvenir – la mise à mort, sûrement pas. Le lecteur voyageur est considéré comme un gourmet en puissance. C'est bien pourquoi les inspecteurs, diplômés d'écoles hôtelières, suscitent des enseignes dans des quartiers ou des villes, afin de favoriser le goût de la chère. Que recommander à Rennes, Mégève ou à Belleville ? Il s'agit d'épater le client au volant.

De ce point de vue, il paraît judicieux d'indiquer qu'avant l'ouverture d'Eurodisney à Marne-la-Vallée les têtes chercheuses du guide rouge avaient déjà répertorié et coté les hôtels du parc d'attractions... Aidons les familles à trouver le gîte et le couvert ! De semblables distorsions ont nui à la crédibilité de l'institution pneumatique.

Déclasser un restaurant se révèle plus que jamais un acte gravissime. La guillotine est dressée, le couperet peut s'abattre si le public ratifie la condamnation du guide rouge et déserte l'établissement, d'autant que les motifs du déclassement demeurent la plupart du temps obscurs. Brumeux. Pourquoi avoir rétrogradé l'admirable Claude Peyrot du Vivarois ?

A la panique d'avoir perdu une étoile s'ajoute l'ignorance des fautes, la non-connaissance des motifs de la sanction. Une lettre malveillante, le poulet trop cuit, le beurre oublié, des fleurs fanées, le barman grincheux, des dénonciations de concurrents, le pain ramolli, des assiettes porteuses de traces sur la nappe, le sommelier qui sert le vin sans l'avoir goûté (honte à lui !) – le Michelin s'explique peu, jamais ou par ouï-dire. Le commandeur est muet, et le queux Vatel aurait mille raisons de se supprimer.

Quelques règles paraissent immuables : le départ ou la disparition du chef provoquent le retrait d'une étoile, la troisième pour les trente et quelques tables phares d'Europe. A Valence, le bon Jacques Pic meurt subitement en salle d'opération, et Michelin s'exécute. Le cher Alain Chapel, le maître à cuisiner de Mionnay (Ain) décède d'une attaque cardiaque, le coup part. Au déchirement de la mort imprévue, Michelin ajoute la disparition de la récompense suprême l'année suivante, car le deuil suscite un répit. Temporel. Cet axiome a été forgé par Bernard Naegellen au départ de Jacques Pic : il fallait de la clarté.

Quelques années auparavant, la mort de Raymond Thuilier, le patriarche des Baux-de-Provence, n'avait pas fait ciller les sbires du guide de Clermont-Ferrand. Son petit-fils Jean André Charial était digne de conserver la triple couronne, succession bien assurée, pensait-on. Que non, en 1990, le guide rouge tel le diable bondissant de sa boîte, retirait la troisième à la stupéfaction des experts. Quelle mouche avait piqué les scribes aux papilles trieuses ? La chère, le service, le charme de l'Oustau n'étaient plus ce qu'ils étaient. Et pan !

A Mionnay, Suzanne Chapel perpétue le style du grand Alain.

Que penser d'un guide gastronomique – mondialement célèbre – qui n'aurait pas d'audace, pas le courage de ses opinions, préférant la mollesse, le laisser-aller et le mépris des valeurs culinaires ? Accroché aux basques du Gault et Millau depuis l'émergence de la nouvelle cuisine, le Michelin fait sa moisson selon un code particulier – il n'est pas délivré de décodeur.

Eh bien, n'en déplaise aux ruminants inspecteurs salariés par le leader mondial du pneu et quels que soient les soubresauts de la grande restauration malmenée par l'économie mondiale, j'ai rencontré des gourmets heureux. Foi de gastronomade.

Nicolas de RABAUDY

La tarte aux framboises de Veyrat.

L'AMBROISIE

L'AMBROISIE

La rigueur de Bernard Pacaud

Pour Claude Peyrot

L'Ambroisie est le moins connu des trois-étoiles de Paris – de France ? Le chef patron Bernard Pacaud, plus ermite que paon, râblé, trapu et barbu, a décroché la triple couronne Michelin en 1988, après avoir, en décembre 86, installé son piano, place des Vosges dans une ancienne boutique d'orfèvre redécorée comme une salle à manger de palais florentin. Du chic. Du marbre, une superbe tapisserie allégorique, des bouquets, l'air de la sublime place royale, beau prélude à un dîner plein d'émotion.

Vous êtes dans l'ancien hôtel de Luynes : choc esthétique. Les quelques pas sur l'admirable place à colonnes vous mettront en condition. Il y a là une correspondance baudelairienne entre la table à son meilleur et l'architecture patricienne au plus haut niveau. C'est la quintessence de la civilisation.

En 1988, le jeune queux de nature effacée, à la fois timide et courageux, venait des quais de la Seine, à deux pas de La Tour d'Argent où, dans une minuscule boîte, selon l'expression de Curnonsky, il avait réussi à glaner deux étoiles en exécutant d'admirables feuilletés de truffes, la poularde demi-deuil aux truffes, la queue de bœuf et d'arachnéens millefeuilles à la vanille. Un fort en thème, ce jeune chef, le premier de la classe, section fumets et casseroles, chez Claude Peyrot, le maître à penser du Vivarois. Quel maître ! Le cuisinier Pacaud est, à ce jour, le meilleur élève du génial Peyrot, l'architecte savant du coq ivre de Pommard et du bavarois de poivrons. Le génie pur, selon Robert Courtine dont tous les gourmets suivent les avis et les humeurs, dans *Le Monde* du vendredi soir. Le chef du siècle, a dit le mangeur salarié du sévère quotidien. Trop ? Trop d'éloges ? Pourquoi ne pas se laisser aller à clamer bien haut son plaisir à table et l'élévation voluptueuse où il vous expédie, fourchette à la main ?

Avare de confidences, peu prolixe en logomachies gustatives, Bernard Pacaud a passé trente ans dans les cuisines des restaurants. D'abord chez la Mère Brazier à Lyon où il fallait une heure trente pour allumer le poêle à charbon, puis au Vivarois, à Paris, où il a vécu l'aventure d'un classicisme absolu menée par un artiste des casseroles, Claude Peyrot. Le gourmet de cette fin de siècle ne peut cesser de proclamer bien haut tous les bonheurs savourés dans ce restaurant au mobilier Knoll, devenu une sorte de relique du style années 60. Dis-moi si tu aimes, si tu fréquentes, si tu loues le talent de Peyrot, fantasque et monolithique à la fois, je te dirai si tu es un vrai passionné de bonne chère. L'adage ne saurait être contesté. Peyrot, le commandeur au doux babil et au charme discret.

Le Vivarois fut un jour de 1976 descendu du piédestal à trois macarons. Le guide rouge avait-il reçu moult plaintes et lettres de dénonciation ? De fieffés obsédés de la langue avaient-ils usé de leur poids pour faire rétrograder au rang des deux-étoiles ce cuisinier hors normes, fidèle émule de Fernand Point ? Qui fut le meilleur saucier de Paris ? Qui fut le seul dans les années 70 à travailler la truffe à la façon d'une rhapsodie comme Claude Peyrot, le solitaire fantasque de l'avenue Victor-Hugo ? Qui fut le Hugo de la queue de bœuf, le chantre de la partie méprisée du bovin ? Qui sut la magnifier par le fondant d'une sauce brune savamment dosée en échalotes ?

Claude Peyrot et son héritage ne mourront jamais. Son lieutenant Bernard Pacaud a recueilli les leçons du maître, à commencer par le choix du produit et sa qualité. Sait-on que Claude Peyrot allait aux Halles lui-même au

Devant l'ancien hôtel de Luynes, place des Vosges, le chef patron Bernard Pacaud avant le coup de feu.

Le premier maître d'hôtel Pierre Le Moullac, qui est aussi le responsable des vins.

La salle à manger de L'Ambroisie ; de l'allure et le dépouillement des plats.

volant de son 4 x 4, et qu'il rapportait fruits, légumes, volailles, aromates qui lui avaient tapé dans l'œil ? Ainsi, se souvient Bernard Pacaud, Claude Peyrot, ami de Lacan et de l'abbé Oraison, avait-il jeté son dévolu sur une caisse de poivrons rutilants. Destinés à quel plat ? Quelle garniture ? De là est né le fameux bavarois de poivrons.

Tout, dans la cuisine maîtrisée de Bernard Pacaud, part du produit. La carte, qui ne comprend que sept entrées, sept poissons et sept viandes, change quatre fois par an, mais c'est l'imaginaire du produit à transformer qui met en branle le geste de Pacaud. Rien d'instinctif dans la composition à venir. La pastilla de thon a fait apparaître, comme nécessaire, les abricots secs, la pistache et l'huile d'olive. Le produit doit correspondre au terroir et susciter garnitures et ingrédients. De la logique dans les apprêts et le goût.

A la saint-jacques épaisse répond un crustacé, le homard, pour enrichir la crème chaude, façon velouté. Le perdreau découpé ainsi que les feuilles de chou, une couche de farce fine façon gâteau, et voilà le divin millefeuille de gibier à faire escorter d'un Volnay Caillerets choisi par le diacre du vin, Pierre Le Moullac. Jamais la tête de veau de Pacaud ne verra la glaciation du frigo. Faite au moment !

Et que dire de ce somptueux pâté de canard sauvage à la Dumaine, véritable échafaudage de porc, mignon de veau, de foie gras, de farce, et de glace de canard au genièvre ? Tenu par un feuilletage en support. Qui ose se lancer dans de tels exploits ? Car ce plat à l'ancienne, servi chaud avec une fricassée de cèpes, témoigne de la permanence d'une cuisine élaborée, réfléchie, où s'exprime la valeur d'un queux et de sa brigade. Louons Pacaud, frères gourmets, de réaliser pareil délice de bouche !

Au col de la Luère, chez la Mère Brazier, il se coltinait trente poulardes demi-deuil par jour ! Du métier, le gaillard. Et un désir toujours vif, pénétrant, de progresser, de ne pas s'encroûter, de varier les produits et les préparations, ne serait-ce que pour stimuler sa brigade. « Il y a ici un public de gourmets qui connaissent très bien mes plats, confie Bernard Pacaud ; cela me contraint à modifier la carte plus fréquemment qu'on ne le pense. » Une table pour initiés ? Pour super-fines gueules ? Probablement. Il faut que le cerveau s'applique à l'examen minutieux des assiettes. Tout grand cuisinier doit être compris, pas seulement évalué, et les assiettes justifiées. L'ex-enfant Pacaud veut être aimé – comme tous ses pairs.

« Quel plaisir de plumer six perdreaux de bon matin, quel esclavage de s'astreindre au même ouvrage avec soixante bestioles ! » L'ermite Pacaud, dans sa brigade, n'emploie que des cuisiniers qualifiés, jamais d'apprentis. Le travail manuel est la base du métier de cuisinier, il faut le proclamer. Et Pacaud de s'élever contre les viandes parées, les carrés d'agneau prêts à cuire, les filets de biche levés ; le faisan

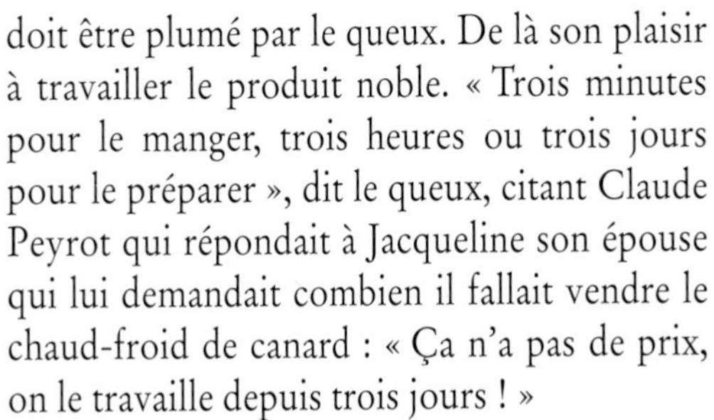

doit être plumé par le queux. De là son plaisir à travailler le produit noble. « Trois minutes pour le manger, trois heures ou trois jours pour le préparer », dit le queux, citant Claude Peyrot qui répondait à Jacqueline son épouse qui lui demandait combien il fallait vendre le chaud-froid de canard : « Ça n'a pas de prix, on le travaille depuis trois jours ! »

La famille Pacaud dans le jardin d'hiver du restaurant pour le goûter. L'épouse, Danièle, Mathieu et Alexia.

De 10 heures du matin à minuit, Pacaud gesticule dans sa cuisine. Il est heureux dans ce laboratoire de saveurs, de parfums, de goûts. Jamais labeur ne fut mieux voulu, accepté. Sa femme Danièle, comme l'épouse de Claude Peyrot, est l'interprète fidèle de son mari, attelé au piano, gardien du passé, où les plats signés se succèdent à l'heure du coup de feu.

Pacaud, modeste ouvrier de cuisine devenu un ténor sans avoir convoqué les trompettes de la renommée, se veut un queux plus téméraire qu'il n'y paraît. Pas favorable aux mariages de provocation. Pacaud secret et humble. Tous les clients, il les voit. Avant et après le service, sans se montrer en salle pour s'y pavaner. Il faut aller à L'Ambroisie, et s'éveiller les papilles auprès de Danièle Pacaud qui dit avec application les suggestions du jour. Du marché, comme chez Peyrot dont le fils spirituel est ce garçon bûcheur, concentré sur son travail – toute sa vie, sa mission sur terre.

Peu de queux respectent autant le mangeur éveillé que le timide Bernard, dont la sensibilité à fleur de peau s'exprime dans des préparations rustiques nobles comme la queue de bœuf braisée dans sa crépine nichée autour du turban de macaronis nacrés, ou dans l'admirable turbot aux deux céleris mitonnés pour le gourmet Jacques Rouët, en compagnie de Robert Courtine. Le plat d'ouverture fut ce jour-là des œufs pochés à la moscovite, recette de Christian Dior, où le jaune de l'œuf se fond dans les œufs d'esturgeon – le caviar en robe dorée. Quel souvenir !

Le plaisir de se régaler à L'Ambroisie se double de celui que vous éprouvez en flânant place des Vosges, lieu de magie rehaussé par la présence de ce chef probe, un écorché vif que la passion des fourneaux a apaisé.

Pâté de gibier en croûte
Pastilla de thon aux abricots secs
Queue de bœuf braisée en crépine
Tarte fine au cacao amer

*

Champagne Roederer 86 pour L'Ambroisie
Auxey-Duresses blanc Leroy 89
Pomerol Château Gombaude-Guillot 85

ARPÈGE

Alain Passard, le Breton de la modernité

Pour Hubert Millet

En mars 1996, on attendait Alain Dutournier, l'Aquitain du Carré des Feuillants, l'aficionado de la feria, de la garbure et de l'ail doux. Imprévisible, le Michelin a couronné un Breton au physique d'acteur de cinéma, le dandy Alain Passard – créateur de l'Arpège, une bonbonnière au décor de lignes pures, la cantine à notes de frais des énarques de l'Hôtel Matignon. Et des gourmets du dimanche soir, car le bel Alain, quadragénaire sportif, joueur de saxo et parachutiste de week-end, officie le jour du Seigneur pour le dîner – comme la Tour d'Argent, déclassée le jour même où Passard décrochait la troisième étoile. Le parallèle est lumineux : la cuisine moderne, inventive et vivante, a pris le pas sur le classicisme bien tempéré. Qui s'en plaindrait ?

L'élévation d'Alain Passard au grade suprême a surpris le Landerneau des étoilés-toqués de l'Hexagone, pour la simple raison que le créateur de l'Arpège joue son va-tout, sans faiblir, depuis son installation, rue de Varenne en 1987. L'homme regorge de talent, son style est en évolution permanente et, rivé à son piano, il ne fait pas de bruit. Passard, un marginal solitaire doublé d'un bosseur sans cesse sur la brèche.

Pour les fins becs de la capitale, le sculpteur du millefeuille au chocolat, le mitonneur du poulet de Janzé au foin, le prince du homard à l'aigre-doux est toujours apparu comme un maître des saveurs, un équilibriste des parfums qui ne cessait de donner le meilleur de lui-même, sans se hisser au premier rang – celui de Joël Robuchon, d'Alain Ducasse, de Fredy Girardet ou de Pierre Wynants. Passard, fort en thème, brillantissime soliste, pas au-delà.

Alain Passard a succédé à son maître Senderens rue de Varenne, Paris VIIe.

Que s'est-il passé ? Toquade du Michelin ? Coup de cœur de l'arbitre du dogme culinaire, l'Alsacien Bernard Naegelen ? Il semble que le directeur du guide rouge, quinquagénaire secret, bonne fourchette, ait vécu deux repas de rêve à l'Arpège. A l'issue du dernier voyage de gueule, il a dit à Passard que l'expérience l'avait enchanté et qu'elle était inoubliable. Naegelen emporté par le savoir-faire sucré-salé du Breton de la Guerche, conquis, possédé par les aiguillettes de homard éclaté au vin jaune et huile de noisette, la chose s'était produite chez Marc Veyrat, sur les bords du lac d'Annecy, à l'automne 1994. Oui,

Naegelen est un travaillé des papilles, et, quand on l'envoie au septième ciel, il le dit. « Passard est le meilleur cuisinier-pâtissier de Paris », a-t-il proclamé au début 1996. Imaginez le cœur bondissant du chef patron, aux aguets !

Cela posé, dix années de recherches, d'essais, de « courage de créer » valent bien la triple couronne. Elle aurait pu surgir plus tôt, dès 1989-1990, quand Passard faisait des étincelles, à tel point que j'avais pu titrer un article du *Journal du dimanche* par ces mots : « Le meilleur cuisinier de Paris ? »

En fait, Passard n'a cessé d'aller de l'avant, de défricher des terres inconnues du goût, dans l'ombre de Gagnaire, de Veyrat et de Michel Bras. A ceci près que la manière Passard conjugue la fidélité au terroir, une certaine mémoire culinaire et la créativité façon Senderens, l'artiste du homard à la vanille et du turbot aux carottes.

Le queux Passard est double. Jongleur du sucré-salé, il se souvient du canard de sa grand-mère Louise, il cuit le steak au poivre et à l'huile à sa façon, il travaille la pintade poêlée qu'il pare d'un confit d'endives farcies au thym, tout comme il grille des saint-jacques escortées de chou-fleur et persil, ou de chou vert et de xérès, et instille une émulsion de harissa dans le cochon de lait. La surprise gourmande se lit à chaque assiette. C'est le « grain de sel » du maestro, ennemi de la routine et mû par l'innovation goûteuse. Tous les

Chez l'œnophile breton, tous les vins sont passés en carafe.

L'Arpège d'Alain Passard, un décor moderne aux lignes pures.

plats sont réinventés, conjuguant dextérité et gaieté, rigueur et fantaisie – la fondue d'angélique et de cornichons pour le bar de ligne ou le genièvre et le laurier glissés sous la peau du saint-pierre. De la marqueterie.

De même, le chef patron, qui fait son tour de salle comme Pierre et Michel Troisgros à Roanne, a tenu à maintenir le service au guéridon, la découpe des volailles par les maîtres d'hôtel, l'usage de la saucière et des épices. C'est le balancement constant entre hier et aujourd'hui, entre Escoffier et Guérard, entre le legs du passé et l'aventure contemporaine qui fascine chez ce personnage secret et volubile dont Senderens dit que c'est son meilleur disciple – sans parler de Bertrand Guéneron, chef du Lucas Carton et fils spirituel du génial Tarbais de la Madeleine.

Quasi monacale, la décoration de l'Arpège – quelques huit millions de travaux pour transformer l'Archestrate en 1986 et déplacer la cuisine –, le bois de poirier, les sculptures modernes et la porte noire façon César se sont enrichis d'incrustations de Lalique, des femmes de verre moulé sur les murs. De la beauté pour l'œil.

La salle à manger reste de taille restreinte, encombrée par les guéridons et les tables de service. L'endroit y gagne en chaleur. Pas en espace, hélas !

La carte des vins panache les grands crus à des prix sympathiques pour les seigneurs de Bordeaux (Pétrus), le champagne de noble origine et les trouvailles du patron dans des AOC de seconde zone, comme la Corse ou le Minervois. Le menu du déjeuner – trois plats, fromage et profiteroles au café et sirop d'érable – mérite d'être signalé aux adeptes du repas de midi.

A l'Arpège, les seconds reçoivent une formation rigoureuse.

La presse à canard pour extraire sucs et parfums.

Grand plat d'aujourd'hui, le homard au vin jaune.

Homard éclaté au vin jaune
et huile de noisette
Canard de Challans Louise Passard
Millefeuille au chocolat

*

Champagne Cordon rouge 88
Haut-Marbuzet 78
Porto Sandeman 77

ALAIN DUCASSE

La bécane, le lard et le vermeil

Pour Dominique Pagès, bien sûr

Le lundi 12 août 1996, le restaurant Alain Ducasse de Paris ouvrait ses portes au public : quarante invités privilégiés pour le dîner d'inauguration, soit cinq semaines après le départ à la retraite de Joël Robuchon, l'un des cuisiniers du siècle, le meilleur au monde pour de sérieux gastronomades comme Christian Millau, Michel Piot, Gilles Pudlowski, Jean-Claude Ribaut, Marc de Champérard et Patricia Wells, chroniqueuse de table au *New York Herald*, auteur d'un classement mensuel des plus grands chefs de la planète, toutes origines et couleurs de peau confondues – jamais Joël Robuchon n'a quitté la place de leader. La statue du Commandeur des queux, intouchable. Derrière lui, plusieurs fois cité, Alain Ducasse, enfant des Landes, né dans une ferme archétype où ses parents engraissaient les volailles et extrayaient de beaux lobes de foie gras. De grosses lamelles de truffes paraient les mets du dimanche.

La cuisine, c'est le souvenir, disait Simenon. « La poulette des Landes est truffée sous la peau, couverte d'un linge humide afin qu'elle se parfume, puis on la rôtit à la broche. Les pommes de terre Agria sont doucement dorées au sautoir, le foie gras de canard est poêlé, les têtes de cèpes farcies puis braisées, escortées de copeaux de jambon blanc tiédis. La salade de cœurs de laitues est assaisonnée de sucs de poulet et vieux vinaigre. » Ce plat est l'un des chefs-d'œuvre de la carte d'hiver du restaurant Alain Ducasse à Paris.

« La dégustation d'un plat doit laisser un souvenir, note le chef patron. S'il n'en reste rien dans la mémoire d'un seul convive, c'est que je me suis trompé. » Bel aveu.

Par bonheur, le cerveau de l'enfant Alain avait enregistré la gestuelle de sa mère et les

En juillet 1966, Joël Robuchon a passé le témoin au Landais Alain Ducasse.

parfums enivrants de sa cuisine. Tout est parti de là... Jusqu'à la « bécane » d'aujourd'hui, l'ordinateur avaleur de quelques centaines de recettes, de mets, de produits, de procédés, de gestes dispatchés à la cohorte des seconds, des chefs de partie, des sauciers, des entremettiers et autres disciples qui forment l'atelier Ducasse, à la manière du Titien ou de Chardin. A Paris, Laurent Gras, à Monaco Frank Cerruti, premiers violons, sont les interprètes de la partition Ducasse.

Joël Robuchon, le Poitevin au cœur d'or, pouvait-il trouver meilleur successeur qu'Alain Ducasse ? Lui qui, toute sa vie de compagnon cuisinier (trente-cinq ans de piano), a si bien su passer le message de la rigueur, de la précision et d'une certaine perfection pouvait-il rêver héritier plus consciencieux et plus passionné par l'art de cuire et d'assaisonner ? Car enfin, cet hôtel particulier 1900 à la façade de Garnier, aux boiseries brunes, haute cheminée, aux trois salons parés de moulures et de trompe-l'œil a été investi en décembre 1994 par Joël Robuchon en personne, propriétaire du fonds de commerce et

A 40 ans, Alain Ducasse est à la tête de deux grands restaurants, à Monaco et à Paris. Un défi.

L'une des trois salles à manger du restaurant Alain Ducasse, à Paris.

concepteur du décor, de la cuisine de quatre cents mètres carrés et de l'ambiance de cathédrale gourmande. Paix, recueillement et bouches bienheureuses…

Comment succéder à un tel personnage phare, à un génial maître queux loué, apprécié, respecté, aimé comme aucun cuisinier de son vivant ? Ni Escoffier, ni Fernand Point, ni André Guillot, ni Alex Humbert n'ont connu la gloire de Joël Robuchon, la pression de la belle clientèle (sans parler des médias) – jusqu'à cinq cents réservations par jour pour quatre-vingt-cinq places assises. Seul Paul Bocuse, de vingt ans l'aîné de Joël, l'ex-séminariste choyé par les nonnes poitevines, a connu de semblables hommages tout autour du globe.

De 1985 à 1996, le professionnel des casseroles Robuchon, par son savoir-faire, son art, sa disponibilité, a écrasé – en douceur – tous ses confrères. L'astre solitaire a rayonné sur la galaxie en toque, sans partage : le Paganini de la poêle, ce fut lui.

A 40 ans, Alain Ducasse le téméraire, rescapé d'un terrible accident d'avion où ses quatre compagnons ont péri – c'était en 1984, deux ans avant l'ouverture du Louis XV de Monaco –, a relevé le défi – car l'homme, endurci par les coups durs, est doté d'un caractère de battant. Sous des allures d'esthète mâtiné d'intellectuel de la grande cuisine, le Landais aux fines lunettes est un bourreau de travail, un acharné et un obstiné. A nous deux, Paris – il y a du Rastignac chez ce soliste qui a la tête sur les épaules.

Responsable devant la SBM et Rainier III de Monaco – le bougre a eu trois étoiles au Louis XV à 33 ans, seulement trente-trois mois après l'ouverture –, Ducasse a pu tenir le

Amateur de puros, *Alain Ducasse a installé un bar pour l'avant- et l'après-repas.*

pari de Paris en gérant au mieux son temps (deux cent cinquante allers et retours Paris-Nice) et, surtout, en sachant déléguer son charisme de chef concepteur, en s'entourant de cuisiniers brillants, ses doubles, façon alter ego et fidèles. La roulotte, dirait-on au théâtre. Le clan Ducasse qui essaime partout à Paris (la Grande Cascade de Jean-Louis Nomicos, le Royal Monceau de Bruno Cirino, et le Vernet d'Alain Soliveres) et à Londres, à New York, à Hong Kong... Comme son prédécesseur Robuchon, le Landais, disciple d'Alain Chapel, a formé une génération de queux. C'est pourquoi Ducasse a pris le risque de piloter deux grands restaurants, simultanément. Une opération jamais vue, d'une logique imperturbable. « Je suis comme Yves Saint Laurent, je signe deux collections haute cuisine par an. Je suis indestructible », dit le Landais.

Qu'en est-il du message culinaire, de cette parole en actes qui (grâce à l'appareil sous-vide) consiste à « rendre très bon ce qui est déjà beau et à restituer la saveur naturelle d'un mets » (Alain Ducasse) ?

En montant à Paris deux fois par semaine du rocher monégasque où il s'est fait un nom et un style (« la cuisine comme recherche de l'absolu et fête du goût »), l'aigle à deux toques faisait un choix culturel : il laissait l'huile d'olive, la pasta et l'Italie pour les mets azuréens et adoptait le beurre, la crème et une certaine idée de la tradition de bouche à Paris. Dédoublement de son style.

La Méditerranée n'est pas la Seine, et l'avisé Ducasse n'a jamais songé à reproduire, façon litho, la carte et l'esprit du Louis XV l'unique. Pas de cuisine par fax dévalorisante pour les super-pointures en veste blanche dont le tra-

Pour le service des vins et la cave, Alain Ducasse a fait revenir Alain Margeon de Monaco.

Alain Ducasse et son chef Laurent Gras : dix ans de complicité.

vail, avant le coup de feu, consiste à « faire propre » pendant deux bonnes heures, de façon à « manger le jaune d'œuf qui serait tombé à terre ».

Un autre univers gourmand. Paris méritait un retour à la grande cuisine – beaux produits, nobles apprêts, sauce champagne, références incontournables dans le sillon d'Alain Chapel (bouillons crémés), de Lucien Tendret (consommés, tomates farcies, volaille de Bresse au foie gras), d'Arcimboldo (légumes en cocotte), et lard paysan, emblème d'une certaine nostalgie du terroir.

C'est peu dire que le gourmet, « robuchonisé » par quelques plats d'anthologie (la gelée au caviar à la carte d'ouverture de Ducasse), a été emballé par le récital des vingt préparations des débuts. Fracassants : on affiche complet au dîner comme au temps de Joël.

Écrevisses pattes rouges en velouté à l'infusion de cèpes, royale d'écrevisses, grosses langoustines aux zestes d'agrumes, gingembre et corail, vol-au-vent aux cuisses de grenouilles, écrevisses, champignons de bois et quenelles – une superbe récréation –, carré de veau de lait rôti entier à la broche, épinards à peine crémés, pommes fondantes, sole aux artichauts cuits et crus, voilà une nette poussée de classicisme culinaire le plus strict. Pourquoi pas ? « La cuisine française, c'est tradition et évolution », dit Ducasse, bien plus porté vers le legs du passé que vers les acrobaties funambulesques de certains érudits de la restauration d'aujourd'hui. Sans éclat superflu, il a tenté une vraie synthèse culinaire, « profitant des champs, des jardins, des filets de pêche et des marchés, où je vais chercher les indices gourmands de mes prochains plats ». Et puis la marée des côtes bretonnes, Rungis et les Halles Mandar qui livrent matin et soir l'agneau de Pauillac, les girolles d'Auvergne et la pâte au blé dur mi-cuite maison – tout cela n'a pas laissé d'exciter les neurones du chef bicéphale, ses mains et ses papilles. Croyez-moi, il se régale avant nous !

« Dans ma tête, j'ai déjà les trois étoiles à Paris », me disait Alain Ducasse le 15 août 1996, soit trois jours (sept repas servis) après le lever de rideau. Tout baigne. Ça roule, la machine est rodée comme un prototype de Formule 1. » « A 20 h 05, le premier soir, j'étais prêt. » Un fou de cuisine qui sait raison garder ?

Écrevisses pattes rouges en velouté
à l'infusion de cèpes,
Pâtes mi-séchées, crémées, truffées
au ris de veau, crêtes et rognons de coq
Agneau de Pauillac à la broche, cocotte
de légumes au jus, miettes de fruits secs
Abricots fourrés, marmelade, glace et tuile
à l'abricot et à l'amande

*

Champagne Perrier-Jouët 89 en magnum
Chablis Monts de Milieu 93 J.P. Grossot
Château Clarke 89
Banyuls Solera Parcé

LUCAS CARTON

Le goût juste de Senderens

*Pour
Alain-Dominique Perrin*

Que n'écrit-on l'histoire de France à travers la vie de ses grandes tables ? Jean Mauduit le fit naguère avec Maxim's, le temple des princes russes titillés par les lionnes, devenu le rendez-vous des businessmen internationaux et des managers en col blanc. Du grand-duc, compagnon de plaisir de Boni de Castellane, à Louis Renault et jusqu'à Lindsay Owen Jones, président-directeur général de L'Oréal – son bureau est en face. Chez Lucas Carton, sur le même trottoir, en face de la Madeleine, une même démarche éclaire la trajectoire de cet établissement de haute lignée embelli à jamais – il est classé – par les boiseries blondes de Majorelle en sycomore, érable et citronnier de Ceylan.

Du temps de la famille Allégrier, Lucas Carton connut des heures de gloire – ce fut

*Le mâchon
dans la cave.*

*Eventhia
et Alain Senderens
dans le petit salon
du premier étage,
et le canard Apicius.*

Le chef de Lucas Carton, Bertrand Guéneron, parfait exécutant de la cuisine de Senderens.

dans les années 65-70 le premier restaurant de Paris. Les bécasses flambées par Mario constituaient l'attraction des mangeurs de gibier qui escortaient l'oiseau de splendides crus de Bourgogne. La cave était une caverne d'Ali-Baba, et Jean Ferniot raconte que le père Alex Allégrier le conviait dans les sous-sols de la Madeleine où les deux fins becs débouchaient pour la mise en train du déjeuner un Yquem époustouflant et des vintages de Porto à damner le ministre Évin. Ah ! que Paris était beau pour les gueulards de la haute !

Si Lucas abrita les sbires de l'armée allemande pendant l'Occupation, il fut aussi la cantine du général de Gaulle, dès avant la guerre – Alex Allégrier tutoyait le futur rebelle de la France libre. C'est dire l'intimité des deux hommes. C'était l'époque où de Gaulle mangeait lourd, buvait sec, et fumait comme un soldat. Plus tard, Mme de Gaulle à l'Élysée se chargea de réguler les désirs gourmands du général – et le regretté chef Marcel Le Servot lui fut d'un grand secours –, car c'est elle qui veillait sur les menus, le *Guide culinaire* d'Escoffier coché aux bonnes recettes. Censure alimentaire au sommet de l'État.

Le chantre du gaullisme, l'inventeur de la culture en maison, le fieffé bouffeur André Malraux s'attablait alors au rez-de-chaussée à gauche, dans ces boxes de bois blond où seul le bruit des fourchettes et du champagne riant dans les verres parvenait aux voisins. L'auteur de *La Condition humaine* se régalait du jambon au Chablis, du caneton à la rouennaise, des crêpes soufflées, et ses vins préférés étaient le Mouton-Rothschild et le Pétrus. Bombance dans les cimes.

Le temps a passé. Les mangeurs aussi.

Un ex-ministre, Jack Lang, habillé par Thierry Mugler et aimé des cuisiniers, savou-

rait d'autres plats d'une créativité plus avancée, et, sur la banquette d'en face, le compositeur Pierre Boulez jouait des manettes – les couverts, en argot – pour une nouvelle symphonie en métal chromé.

Aux nourritures riches pour les privilégiés du régime ont succédé les accords savants du goût juste, inventés par le maître œnologue Jacques Puisais et par le nouveau patron de Lucas, Alain Senderens, né à Tarbes et ancien élève de Marc Soustelle, le chef guerrier qui a marqué toute une génération de commis, de seconds et de chefs. Alain Senderens a-t-il innové en rachetant en 1985 le grand restaurant où il fit ses humanités culinaires ? Qui a réussi le même challenge ? Certes le Lucas, comme dit Senderens lui-même, a depuis été revendu par Rémy Martin au groupe japonais Asahi, mais l'esprit et les principes chers à l'esthétique du queux demeurent. Et, au-delà, Senderens a su faire progresser le style de nourritures, la manière de les comprendre et le savoir-manger de nos contemporains.

Râblé, élégant, le verbe chantant, Senderens est un jouisseur doublé d'un intellectuel des saveurs. Un marieur de goûts, de parfums, une sorte d'alchimiste du verre et de l'assiette. Grâce à Jacques Puisais, le Socrate de l'harmonie mets-vins, Senderens a accompli des prodiges dont les plus fameux restent le bar au vin de Bouzy créé à l'Archestrate, le canard Apicius escorté du vin de Banyuls que l'on peut prolonger avec la tarte aux zestes d'orange et au chocolat. Il n'existe pas de plat Senderens qui ne soit pensé pour un vin. L'un appelle l'autre : la pintade aux cèpes, un champagne millésimé, le pigeon rôti aux poireaux, un Aloxe-Corton 88, et les filets de rougets poêlés aux olives, au citron et aux câpres, un Saint-Joseph blanc. Des expériences ? Non, des certitudes, car ces plats accompagnés de vin au verre figurent depuis l'automne 92 à la grande carte du Lucas. Le verre en contrepoint de l'assiette. Le double sens de la gourmandise éclairée.

C'est un événement considérable dans la vie de la grande restauration. Le mangeur n'a pas à se torturer les méninges, sous l'œil professoral des sommeliers, pour détecter un vin de bon aloi pour les deux ou trois plats de son menu. On lui fournit la réponse sur la carte des mets. Les vins sont là. Offerts. Prêts à la dégustation. C'est le gout juste qui vous est dicté. Merci patron.

Une sorte de révolution, dit-on dans le cercle fermé des trois-étoiles. Le client n'a pas à consulter la carte des vins. Superflu. Certes, elle existe. Elle est là sous le bras du sommelier. Et le curieux peut s'offrir une bouteille de Chignin de Savoie pour accompagner les admirables raviolis de pétoncles dans leur sauce crémée au thym, ou un brut Billecart Salmon millésimé en magnum pour le tournedos de veau de lait à la crème de chorizo – ce n'est pas la prison du menu à l'ancienne (« Un magnum est la contenance idéale pour deux messieurs », disait un Champenois).

Le personnel de la salle dans le hall d'entrée. Les boiseries sont classées.

Il reste que Senderens et sa blonde Eventhia disent clairement qu'ils ont transformé le Lucas en un bistrot à vins triplement étoilé. Du jamais vu. Le 1789 des grands restaurants ? Le progrès tout simplement. Le désir du maître des lieux de faire coïncider les sortilèges du plat et les effluves du vin. C'est Alexandre Dumas qui disait que le vin était la partie intellectuelle du repas. Le pas de deux solide-liquide enrichit le bonheur de manger. Les deux figures se répondent, alternent, se prennent et s'abandonnent. Ce jeu de miroirs

Une desserte Majorelle et les aiguières Lucas Carton.

chef-d'œuvre – du docteur Parcé. Une fusion quasi miraculeuse que les douze heureux convives, en ce déjeuner d'hiver, ne sont pas prêts d'oublier. « Les nombres étaient avec nous », avoua Alain Senderens, ébloui par la beauté du tandem épicé – envoûtant.

Qui dira la profonde amitié née de la table et du vin entre un queux novateur, le somptueux Alain, et le médecin catalan, l'un des plus acharnés gueulards du siècle ? Beaucoup d'idées avancées, de partitions risquées sont sorties du néant grâce à ce lien tissé par la chère entre le mangeur et son ordonnateur de gourmandises. Voilà une forme d'humanisme que la grande restauration a fait jaillir – tous les trois-étoiles de France et d'Europe ont ainsi des interlocuteurs privilégiés pour qui l'acte de manger et de boire dépasse de loin la caresse des papilles et le plaisir furtif. La table comme manière de vivre sa vie. En solitaire. Et à plusieurs.

Le gourmet doit s'accorder quelques visites annuelles chez Lucas. En dépit des prix jugés terrifiants par les inspecteurs comptables qui mesurent le plaisir buccal à l'aune de l'addition, l'Aquitain Senderens avance, progresse, défriche. Qui a osé servir des desserts et du rhum blanc ? Et faire commencer un repas expérimental par le whisky tourbé Laphroaig, de l'anguille fumée et un havane ? Suivi d'un autre pour le second plat ?

Qui se remet en question comme cet épicurien aux exigences austères ? Qui refuse tous les conformismes, les clichés gourmands, les certitudes admises – l'agneau et le Pauillac – comme ce prince de l'inattendu ? Il faut sans cesse se ressourcer chez les Senderens. Le plaisir de la table n'est que conquêtes et défis.

est l'apanage des gourmets passionnés et des apprentis sorciers, ordonnateurs de confrontations salivantes hors du commun.

Des moments inoubliables, vous en vivrez chez Lucas. Par exemple, ce lièvre à la royale d'après Carême, où dans la sauce brune foncée sont juxtaposés les marrons et les figues, et que Bertrand Guéneron, le bras droit de Senderens, son alter ego, son double, a fait escorter d'un Banyuls millésimé – ah ! le 1961,

Raviolis de pétoncles
aux courgettes et fleurs de thym
Saint-jacques en philo
Canard Apicius
Gâteau au chocolat en chaud-froid

*

Chignin Quenard 90
Aloxe-Corton Michel Juillot 88
Banyuls Solera

TAILLEVENT

Le classicisme et l'héritage

En souvenir de Raymond Oliver

Qui fait la fine bouche sur le chemin de Taillevent, rue Lamennais ? Sûrement pas Mikhaïl Gorbatchev et la belle Raïssa, qui avaient choisi Taillevent pour convier une dizaine d'amis, en mai 1993 – c'est Jean-Claude Vrinat qui a gardé l'addition pour lui. Beau geste.

Rechigne-t-on à réserver une table, le vendredi soir, pour un mémorable dîner agrémenté de vins de rêve ? Quoi, quelques délicats du palais se gaussent, et remettent en question instants impalpables et belles rencontres gourmandes ! Voilà qui ne peut que méduser le gourmet de bonne foi. Allons donc, Taillevent ne déçoit que les snobs qui confondent la fête des papilles avec la bamboche. Comme pour Maxim's, du temps des Vaudable, seuls ceux qui n'y mettaient jamais les pieds attaquaient l'institution de la rue Royale. Le Taillevent de Jean-Claude Vrinat subit le même sort. Jusqu'aux volées de bois vert qui s'abattent sur l'ex-hôtel particulier du duc de Morny, transformé en club à l'anglaise par feu Vrinat père, et son fils, ordonnateur discret de délicates fêtes de la gueule – il y a de l'injustice dans l'ère du bien-manger à la parisienne. Et de furieuses jalousies.

L'entrée du Taillevent, à deux pas de l'Arc de Triomphe. A gauche, Gilles Trouillant devant le coq de Cocteau.

Le Taillevent n'a connu ni lionnes, ni grands-ducs, ni ces « travailleurs du plaisir » qui ont hanté Maxim's et d'autres métros moins fabuleux. Le Taillevent, son décor de boiseries un rien sévère, ces compartiments dotés de canapés de velours bleu où les secrets sont étouffés, et ce public de bourgeois huppés de toutes origines, oui, ce trois-étoiles modèle selon les critères Michelin a une âme toute de rigueur et de noblesse. D'une retenue un rien puritaine, mais Dieu que le gourmet s'y sent bien. Le hall d'entrée haut de plafond, au pied de l'escalier de pierres blanches, recèle un charme, une excitation pour le mangeur qui a tout loisir d'observer le ballet des maîtres d'hôtel, des chefs de rang et des commis débarrasseurs. Un véritable quadrille dont le chorégraphe Vrinat, en costume gris, suit tous les mouvements. Rien n'est plus rassurant pour le dîneur que de voir le maître des lieux superviser le service et le récital des plats entrecoupé par le jeu des carafes et des flacons. Tout cela se perd, hélas, dans d'autres lieux de mémoire.

Le service du vin, le décantage à la bougie par le premier maître d'hôtel, Jean-Marie Ancher.

Le chef Legendre, ancien second de Claude Deligne et de Guy Legay au Ritz.

Il n'y a pas de service meilleur que chez Taillevent. Il n'y a pas de personnel plus discret, plus diligent, plus franc avec le client dont tous les désirs sont devinés. Par exemple, un détail vécu avec le premier vin, après le champagne obligé. C'était un blanc de Provence, rond et enjôleur, d'une fraîcheur allègre. A quelle température le voulez-vous ? Celle de la cave (14°) ou de la salle à manger ? Il n'y a pas de restaurant au monde où les vins soient mieux traités. La température d'un Chablis, d'un Puligny, d'un rouge de Loire, d'un second vin de Bordeaux, d'une Côte Rôtie sur le gibier, du Porto vintage sur les pâtes sèches de montagne (admirables gruyères vieux) : tout cela mériterait d'être filmé en cassette vidéo pour les élèves des écoles hôtelières. Et cela – ce respect du vin imprimé par Vrinat lui-même – sans la présence permanente du sommelier Didier Bordas, le seul diacre du vin qui a eu l'heur de plaire au patron œnophile, car Didier officie en priorité aux Caves Taillevent.

Dans cet environnement un rien austère, le chic à l'anglaise, sans poudre aux yeux, ni débauche de marbres, de lumières et de strass, on ne peut pas imaginer une chère de fantaisie. Une cuisine de distraction et de gaieté. C'est ce que les grincheux appelle le « compassé » de Taillevent.

Le chef Deligne, aujourd'hui à la retraite après trente ans de bons et loyaux services, a donné à l'hôtel du duc de Morny un style tout de rigueur et de netteté. Le bon Deligne avait eu la chance de mener ses humanités gourmandes auprès de Raymond Oliver, le plus strict des chefs de l'après-guerre (« Ma béarnaise est inratable si vous suivez ma recette »). Pour l'œuf au plat de Louis Oliver, le cordon de truffes achevait sa cuisson de la cuisine, en sous-sol, à la table du mangeur. Quelque secondes de finition dans l'air du Palais-Royal... C'était le tour de main, le secret de cette magnifique recette.

Le chef Deligne et son successeur Philippe Legendre, ancien de chez Robuchon, affichent un respect qui se perd pour l'exactitude de la recette, c'est-à-dire pour la meilleure mise en valeur possible du produit de base. Souvenez-vous de cette terrine de brochet servie chaude, nappée de beurre blanc, qui anoblissait à merveille le poisson de rivière – jamais desséché. Voyez cette admirable sole au basilic, simplissime et puissante en goût, qui avait pour répondant un Bollinger RD, singulier duo. Et ce trio de pièces d'agneau d'un incroyable équilibre en saveur – inoubliable sur un Ducru-Beaucaillou 1975 à point. Ah, les mariages réussis signés Taillevent !

Que dire de cette terrine de foie gras et de ris de veau, une ouverture à l'ancienne que plus aucun queux ne se risque à dresser...

Suivie du somptueux bar au gros sel, la quintessence du goût (le meilleur bar de Paris avec celui de Joël Robuchon), de la poularde en cocotte, une formidable préparation oubliée, de la tourte de pigeonneau à l'armagnac si rare à Paris ou du filet d'agneau à l'embeurrée de choux – tous ces plats rehaussés, magnifiés par le choix du vin. Encore une fois, pour le gourmet œnophile (l'un ne va pas sans l'autre), Taillevent reste la meilleure adresse du monde – et ce n'est pas une formule toute faite. Croyez-moi.

Photo René Técher.

Dîner en l'Honneur du Président et de Madame Mikhail Gorbatchev

Amuse-Bouche

****

Fricassée de Homard Breton à l'Estragon

****

Poulette de Bresse aux Mousserons

****

Fromages de nos Provinces

****

Nougatine Glacée aux Poires

****

Café

CHAMPAGNE TAILLEVENT 1986
Réserve Spéciale

CHABLIS LES CLOS 1985
Domaine F. Raveneau

CHATEAU DUCRU BEAUCAILLOU 1982
Saint-Julien

COGNAC GRANDE CHAMPAGNE
Réserve Mikhaïl Gorbatchev

Taillevent
Vendredi 28 Mai 1993

Tous les grands propriétaires de vin du globe respectent Taillevent. Quand il s'agit de présenter à la presse spécialisée un nouveau millésime de Bordeaux ou de champagne, une nouvelle cuvée, un cru récemment né (le Niebaum Coppola de Californie, le Château Lilian Ladouys à Saint-Estèphe), c'est Taillevent qui est requis. C'est le cadre, l'atmosphère à peine guindée, la chère et le personnel qui font la différence – et je n'ajoute rien sur le service des vins, en carafe ou pas, supervisé par Jean-Claude Vrinat lui-même. Il lui arrive de goûter tous les flacons à déguster – et nous avons la chance d'avoir son commentaire, en privé, à la fin des agapes. Que de moment forts, que de repas mémorables, que de joutes savantes entre Raoul Salama, merveilleux dégustateur, et Michel Bettane, le Robert Parker français, avons-nous vécus dans le salon rectangulaire du premier étage – c'était la chambre à coucher du duc de Morny. Aucune maison de bouche, hormis Joël Robuchon, ne nous a procuré autant de joies profondes, ces parenthèses de l'existence où le talent, le goût, le savoir-faire, l'expérience se conjuguent sans que rien ni personne n'ait l'air de se prendre très au sérieux.

Taillevent ou la science du détail, et l'harmonie des ensembles. De toutes les maisons de Champagne qui convient les gens de bec et de plume chez Jean-Claude et Sabine Vrinat, parents de la vicomtesse Valérie d'Indy, reine des Caves Taillevent, la plus chère aux champagnophiles reste Bollinger. La maison d'Ay offre depuis plus de quinze ans un déjeuner de vendanges au début octobre. Une quarantaine de couverts, et des cuvées Bollinger mûries dans les caves de craie. Ainsi avons-nous savouré des chefs-d'œuvre comme le Bollinger 85 et des cuvées RD à damner un saint de la Marne.

A chaque repas, Jean-Claude Vrinat ordonne un menu de saison destiné à mettre en valeur les bruts Bollinger – ainsi des petits gibiers saignants en face des cuvées blondes, comme le Ay pur de 64 – une sacrée curiosité.

Mais c'est grâce à Jean-Eugène Borie, propriétaire de Ducru-Beaucaillou, et à ses deux fils François-Xavier et Bruno que nous avons lampé d'admirables millésimes du Saint-Julien préféré de Jean-Claude Vrinat – dont le 61, un monument. Le Taillevent a eu dans sa cave jusqu'à 25 millésimes de Ducru-Beaucaillou – aucun restaurant au monde n'en a proposé autant. L'exemple a été suivi par d'autres propriétaires comme M. de Boüard, réanimateur du magnifique Angélus, un noble cru qui ne cesse de progresser à Saint-Émilion.

Tous ces repas vécus autour de l'assiette et du verre n'ont pas été sans défaut. Taillevent comme d'autres « grands » a des hauts et des bas, et il nous est arrivé de contester certaines préparations moins emballantes que d'autres – par chance elles sont sorties de nos mémoires.

Rien ne serait possible dans cet établissement hors pair sans le charisme de Jean-Claude Vrinat – sans la passion vraie qui le motive. On sait qu'il n'est jamais loin de cette salle à manger que les gourmets bidon considèrent avec condescendance et qu'il incarne pour la génération des trois-étoiles à venir (Dutournien, Trama, Constant, Charial et Chibois) le super-pro de la grande restauration française.

D'une discrétion proverbiale, Vrinat en impose à ses pairs ; il est même une sorte de gourou de « Tradition et Qualité », ce cercle huppé des plus fameuses tables du monde (quatre-vingts seulement). Vrinat ou la probité, Vrinat ou la droiture et la conscience du métier. Si Pierre Troisgros est le juge de paix de la profession, Bocuse l'ambassadeur incontesté, Robuchon le seul génie avec Fredy Girardet, Jean-Claude Vrinat est le restaurateur par excellence. Celui qui a le mieux compris le sens de l'héritage et sa transmission nécessaire aux générations futures. Un repas chez Taillevent, c'est beaucoup plus qu'une fête des sens.

Terrine de foie gras au ris de veau
Bar au gros sel
Tourte de pigeonneau à l'armagnac
Griottes de Fougerolles en chaud-froid

*

Chablis François Raveneau 90
Chevalier-Montrachet Vincent Leflaive 89
Pauillac Château Pichon-Lalande 82

Sabine et Jean-Claude Vrinat dans l'escalier de l'hôtel du duc de Morny.

AUBERGE DE L'ÉRIDAN

Le message du cuisinier botaniste

Pour
Jacques Puisais

La benoîte urbaine, le génépi et la chicorée sauvage. Tout un monde souterrain de plantes, de saveurs, de goûts – l'art de la décoction instillé dans la cuisine savoyarde par un enfant des montagnes, Marc Veyrat, élevé par une mère admirable, vestale des fourneaux. Des choses de la nature, inconnues du plus savant des gourmets : le serpolet montant, la sève du sapin, la crème d'ache (céleri) et le pimpiolet qui rejette le beurre et la crème.

Facéties d'un cueilleur de plantes saisi par la botanique sapide ? Veyrat cherche-t-il à en mettre plein la vue (et la bouche) des gastronomades revenus de tout ? Parcelles retrouvées d'un folklore culinaire adapté aux produits et recettes classiques ? Succulente est la féra des lacs grillée et son jus de benoîte urbaine ; les trompettes de la renommée se sont emparées des trois raviolis de légumes sans pâte aux senteurs des bois – un chef-d'œuvre.

Du grand art ? De la magie issue de la connaissance profonde des herbes et racines sauvages ? Un style inimitable pas seulement par l'allure du queux en chapeau noir de berger, à l'accent de Manigod, son village natal, mais aussi dans l'approche de l'assiette à nulle autre pareille, qui marque la mémoire – il y a un phénomène Veyrat. Un style qui a des racines propres. Introuvable à Tokyo, Zurich ou Madrid.

Qui nous dira ce que sont les baies d'aïli ? Et l'ail d'ours ? Et la gelée de poule à l'achillée ? Et ces coquelicots, c'est vraiment bon pour escorter l'omble chevalier du lac ? Oui.

On peut se gausser de ces appellations tout droit sorties du Muséum d'histoire naturelle, de la nomenclature drolatique des mets ; une chose est sûre, on se régale chez Marc Veyrat,

et la légèreté des préparations tout comme la digestibilité des assiettes confinent à la diététique gourmande inventée par le pape de la minceur, Michel Guérard.

En cela, le botaniste de Veyrier-du-Lac est un queux absolument moderne, comme le sont Michel Bras et Pierre Gagnaire, son ami le plus intime et son frère au plan de l'alchimie des parfums. De l'innovation à table, et rien d'autre.

Art ou bluff ? Vérité de la préparation ou trucage impeccable ? La question ne se pose pas si l'on réalise que Veyrat transmet les leçons, le fond intime de la nature savoyarde, des sentiers et alpages parcourus dès la petite enfance. « Il faut suivre la nature et s'en inspirer. Devant dame Nature, on s'efface », dit Veyrat, songeur.

Arpenteur des sommets, Veyrat fut et reste le prince de la cueillette, l'Einstein de la pim-

L'ex-berger savoyard et son chapeau dans son pays d'enfance.

Tout en bois, le bistrot savoyard réservé au personnel.

prenelle, le Paganini de l'angélique, de l'eucalyptus et de la gentiane. Tout cela, il connaît. Il a courbé le dos pour deviner, ramasser, saisir les filaments et autres bottes de graminées grimpantes. Qui, dans le cénacle des maîtres queux, sait réussir une crêpe aux chénopodes ? Dans les deux racines de la benoîte urbaine, l'une a le goût de clou de girofle, l'autre de cèpe. Qui le sait ?

Personne, car Veyrat est le plus authentique autodidacte de la haute cuisine française. « Je suis né tout nu », clame-t-il dans son sous-sol brocante jouxtant le laboratoire (500 m²) où s'élaborent de mystérieuses émulsions.

Le créateur de l'Auberge de l'Éridan reste à coup sûr le seul chef patron triplement étoilé au Michelin à n'avoir jamais mis les pieds dans les cuisines d'un monument de la gastronomie française. Aucun enseignement culinaire. Pas de maître à respecter ou à vénérer. Pas de guide pour la vie professionnelle ni de principes infaillibles à suivre, comme le prônait Raymond Oliver : « Ma béarnaise est inratable ! »

A peine sorti de l'adolescence, Veyrat a été refusé par le chef du personnel de L'Impérial, le palace imposant d'Annecy la belle. Au piano, il a tout appris de ses parents, le père mouleur de reblochon ; les plats immémoriaux de la Savoie des mères revivent dans cette auberge bleutée, sublimés par la créativité d'un alchimiste des prés et des champs. En vingt ans, Veyrat a tout enregistré des secrets de la botanique culinaire, et il prépare un ouvrage fort savant avec le botaniste Coupland.

Tout émeut et surprend dans la manière buissonnière de Veyrat. Tout aguiche les papilles du mangeur. Certains plats font sourire, comme le gâteau de tartiffle au houblon, car il y a, dans cette succession de gâteries salées-sucrées jamais déroutante, l'orchestration maîtrisée d'une cuisine d'auteur qui comptera dans le siècle. Décoctions de fruits, bouillons de légumes, infusions de plantes,

L'Auberge de l'Éridan, un relais-château au bord du lac d'Annecy.

réductions de jus, tout cela ouvre des perspectives peu explorées à la génération montante des cuisiniers. Et ça marche. Le public suit, curieux, excité. Depuis la troisième étoile du Michelin en mars 1995, l'Auberge de l'Éridan a accru sa fréquentation de cinquante pour cent – cent couverts le week-end –, ce qui demeure une singulière performance, car Veyrat ne pratique pas des prix doux pour la chère et le sommeil de haut luxe.

Il faut dire que l'investissement immobilier – cette superbe villa aux balcons sur le lac, dix-neuf chambres et appartements – s'est monté à 53 millions de francs, dont 18 millions pour le seul achat du terrain, en bordure du lac aux ombles et féras nacrés. Folie ? Défi à la raison ? Le montagnard au chapeau noir et mou n'a pas eu froid aux yeux, mais, pendant l'hiver 1996, il a eu froid dans le dos. Son banquier, intraitable, a été à deux doigts de placer l'Auberge de l'Éridan en règlement judiciaire pour un découvert de 300 000 F. Un méchant col blanc ! Après l'échec navrant de Gagnaire à Saint-Étienne, contraint au dépôt de bilan – avec 10 millions à rembourser –, l'année aurait été *horribilis* pour les nouveaux maîtres de l'art culinaire hexagonal. Nuages noirs sur la restauration de luxe.

« Il faut dix ans pour assurer la rentabilité de maisons comme celle de Gagnaire à Saint-Étienne et la mienne ici, au bord du lac d'Annecy », indique Veyrat, debout près du piano aux casseroles fumantes.

« Au lieu de nous encourager, de nous donner la main, les banques nous mettent le couteau sous la gorge. L'épée de Damoclès nous menace dès que les recettes chutent et que le découvert se creuse. On attend la chute. Et moi, j'ai vu le KO technique poindre à l'horizon, un vendredi soir de l'hiver 1995. Cessation de paiement pour l'Auberge. Plus de chéquier. La mort au bout du chemin. Comment acheter le poisson et payer les gouvernantes pour la semaine à venir ?

L'assiette de langoustines à la vapeur d'ache confite.

A un cheveu d'ange de l'asphyxie. Par chance, le personnel de l'Auberge, Relais-Château de cinquante employés, s'est solidarisé avec son chef patron abattu par un banquier « petit chef » qui se plaît à faire trembler les artistes de la poêle.

Une heure après l'annonce du dramatique verdict, Marc Veyrat voyait sur son bureau de chêne, à côté de la boîte à reblochons de son père, pas moins de vingt-six chèques signés par les membres du personnel. Du plongeur smicard à Hervé le directeur de la salle à manger, de l'apprenti au regard clair jusqu'à Bruno le sommelier expert en vins de Savoie, chacun a cotisé pour sauver l'outil de travail et le chef botaniste au cœur lourd. Lundi matin, à l'heure du laitier, le découvert était oublié. Le printemps s'annonçait, et le week-end affichait complet. Le sort fut, cet hiver-là, plus amène que le bureaucrate des crédits. Ce sont les crashs dus à l'immobilier qui ont fait sombrer Gagnaire, car les banques ont cherché à se refaire par tous les moyens. Son copain Veyrat a vu le boulet le frôler.

« Cette maison, j'en rêvais. L'hôtel-restaurant sur trois niveaux. Le sommeil en haut, le restaurant au rez-de-chaussée, la cuisine, la lingerie, la cave au sous-sol. Trente années de gamberge, de plans, d'inventions. Tout cela à la merci d'un gratte-papier jaloux de ses petites prérogatives. »

Un vendredi du printemps suivant, l'Auberge filant vers le cap du succès, les agios annuels – 3 millions de francs – passaient à la trappe. Rayés, supprimés.

Oui, le bon Dieu se soucie des toqués des alpages qui savent confectionner une vinaigrette de lierre terrestre, doser un coulis de génépi et cuire des langoustines à la vapeur d'ache confite.

Chez Veyrat, personnage unique dans le cercle des trois étoiles, propriétaire d'un des plus beaux sites du monde, mystère et poésie jouent à cache-cache dans l'assiette. C'est pourquoi il faut aimer cette maison de bouche en forme de défi. Elle nous laisse baba... au marc de Savoie.

Les raviolis de légumes sans pâte : un chef-d'œuvre.

Les raviolis de légumes
aux senteurs de sous-bois
La gelée de bœuf et caviar
à la crème d'ache
La féra des lacs grillée côté peau
et son jus de benoîte urbaine
La brise de fraises des bois
aux arômes de violette

*

Champagne Perrier-Jouët,
cuvée Relais-Châteaux
Blanc de Seyssel Marestel 94
Mondeuse de Chignin 93
Gentiane aphrodisiaque

LAMELOISE
La Bourgogne sublimée

Pour
René Lasserre

Ah ! chez Lameloise, la cuisine est ce qu'elle doit être : ancrée dans son terroir d'origine, fidèle à des produits de région et aux recettes de base qui ont forgé sa renommée. Nous sommes en Bourgogne, que diable, la ferme de la France, les œufs, les escargots, les poulardes, les volailles, les légumes de Chalon-sur-Saône et les fruits dont le cassis cher au chanoine Kir. La terre bénie des travaillés de la gueule qui sont à la recherche de saveurs d'antan et de toujours. La cuisine de vérité, comme disait Alain Chapel, le sage de Mionnay. Lameloise, voilà un restaurant, de réputation ancienne, au cœur de la Bourgogne des grands crus, qui maintient un récital de plats, de sauces, de garnitures jamais démodés. La base réelle de la gourmandise bien comprise. Grand queux jamais ne trahit ses maîtres, une devise pour l'enfant Jacques.

Rien n'est plus exact. Jacques Lameloise, fils de Jean, créateur de la maison : la fidélité faite queux. Papa Jean envoyait les clients au septième ciel grâce au coq au vin, aux rognons Christian-Jaque et aux œufs Élisabeth, un dessert en forme de nid. Le père et la mère ont passé le relais au fiston. En toute quiétude. Sans s'immiscer en rien dans la conduite de ce relais gourmand – la mère ne sait même plus ouvrir le tiroir-caisse. Alors, les rebuffades de l'ordinateur ! ! !

Les fidèles de Chagny réservent par téléphone le gâteau de foies blonds aux langoustines de Bretagne et le pigeonneau de Bresse en vessie et ses pâtes fraîches au foie gras, le *must* de Jacques Lameloise, qui fut à ses débuts l'architecte du coquelet sauce Janick au madère, porto et champignons, précédé des œufs en meurette dans leur poêlée d'escargots – une innovation, alors.

Jacques Lameloise et son père, en promenade dans le vignoble bourguignon.

Lameloise ou le changement dans la continuité. C'est le classicisme des recettes paternelles modifiées par le fils Jacques, grand gaillard aux yeux rieurs, qui a fait ses humanités gourmandes chez Lasserre, Ledoyen et chez Lucien Ogier, un vieux maître oublié. Selon l'heureuse formule de Raymond Oliver, le fils est monté sur les épaules du père, pour voir plus loin – et mieux. Pour adapter l'établissement familial à son époque. Ne pas fossiliser l'héritage. Ne pas s'enfermer dans le carcan de Gringoire et Saulnier. Évoluer en

Jacques Lameloise dans la cave des enfants Ramonet, à Chassagne-Montrachet.

Jacques Lameloise et son épouse… et quelques gourmandises.

douceur. Ne pas brusquer la clientèle qui vénère la madeleine de Proust. Et la beauté du souvenir.

Sans se presser, Jacques Lameloise a conquis la troisième étoile dans les années 70, parce qu'il a su prendre le virage de la cuisine moderne sans bouleverser le legs de son père et les préparations qui plaisaient à tous les publics. Quel gourmet résisterait à la tourte chaude de poule faisane à l'ancienne, à la compote de queue de bœuf à la purée de pommes de terre et de truffes, au dos de chevreuil en poivrade aux baies d'airelles ? Qui peut déclarer tout net que ces préparations datent ? Et qu'est-ce qu'un vieux plat ? Le lièvre à la royale en compote – un pur chef-d'œuvre – est-il moderne ou ancien ? Grotesque, ce débat. Une toile de Renoir est-elle plus belle qu'un monochrome de Mondrian ? L'une et l'autre reflètent leur temps. Comme l'art culinaire.

La carte des mets de Jacques Lameloise n'est ni vieillotte ni avant-gardiste. Elle ne comporte pas de poissons crus, sauf les saint-jacques en saison. Elle ne met pas en relief des herbes étranges des montagnes de Savoie ou de l'Aubrac. Elle n'est pas marquée du sceau de la pharmacopée. Elle ne recèle aucun ingrédient chinois, vietnamien, turc ou asiatique. Elle n'est pas inspirée des trouvailles risquées des chefs de Hong Kong, formés à l'école nippone de Lyon. Elle revendique peu de racines lointaines, elle n'est que le reflet des envies, de l'humeur, du talent d'un queux fier d'avoir logé dans une feuille de pâte des escargots parfumés à l'ail doux. Satisfait de marier les saint-jacques peu cuites et les poireaux, et d'emballer la chair d'un gros turbot par un beurre de truffes et un julienne de céleri. Rien de vrai sans la sincérité ni la justification des saveurs. Ah ! c'est cela la grande cuisine française : la tradition en mouvement. Et il s'amuse, le bougre Lameloise, en variant les garnitures et les cuissons. Il fait cela toute l'année sans alerter les médias ni se répandre en confi-

dences aux gazettes – il est heureux d'être lui-même au piano. De s'identifier à son récital de mets qui nous régalent. Et je ne dis rien du choix des vins, les blancs dorés et les rouges à la robe cardinalice. Le bonheur solide, quoi !

Certes, tous les produits de Lameloise sans exception sont de noble origine, le foie gras traité de quatre façons, le homard, la sole, les langoustines, les rougets, le veau en rognons, grenadin ou ris, et le bœuf servi en queue ou en filet. Le nec plus ultra, question approvisionnements.

« C'est que le mangeur veut faire la fête chez moi, indique le chef patron peu perturbé par un dîner de quatre-vingt-dix couverts, un samedi soir d'hiver. Je sais bien que le merlan et la bonite sont très prisés chez mes confrères toqués et étoilés, mais les gens qui s'arrêtent à Chagny sur la route des vacances souhaitent s'offrir le repas de l'année, surtout les étrangers gourmets, si attirés par les sortilèges de la haute cuisine française. Dois-je leur servir des nourritures passe-partout sans allant ni éclat ? »

Quelle juste observation ! Seul l'abonné du trois-étoiles, le goûteur gâté, exige thon, merlan et colin. Le blasé peut-il être heureux à table ? Ne pas aimer, c'est un handicap.

Qu'il n'y parvienne pas chez Jacques Lameloise et son épouse, à la distinction féline, relève de la faute de goût. Voyez l'exactitude des cuissons, l'assaisonnement juste, jamais rectifié, le nuage d'ail doux qui n'estompe pas les saveurs. Tout est équilibre, maîtrise et recherche du meilleur, dans cette maison bourgeoise qui n'a pas fini de nous épater.

Coquilles Saint-Jacques aux deux poireaux
Raviolis d'escargots
dans le bouillon d'ail doux
Compote de queue de bœuf
à la purée de truffes
Millefeuille croustillant à la vanille

*

Rully blanc La Folie 90
Meursault Coche-Dury 89
Savigny-lès-Beaune Simon Bize 89

Tous les trois-étoiles présentent des verres à pied au sigle du restaurant.

La fête de la gueule et des vins dans la salle à manger de Lameloise.

*Paul Bocuse,
son épouse Raymonde
et le groom
devant la façade multicolore.*

PAUL BOCUSE

Le roi de France

En souvenir de Fernand Point

En 1995, Paul Bocuse fêtera ses trente ans de trois-étoiles. Un bail. « Je vais essayer de durer jusque-là. »

Le temps est l'allié des chefs patrons qui savent choisir leur descendance. A Collonges, pour tenir les cuisines de l'auberge rouge et verte, style pur Disneyland, le roi des gones a recruté un trio de solides lieutenants : Roger Jaloux, MOF 1976, Jean Fleury, MOF 1979, et Christian Bouvarel qui mitonnent les plats du terroir bocusien – les gourmandises d'antan coulées dans le bronze du temps. Indémodables. Bocuse ou l'éternité du jarret de veau.

« Quelle différence entre vous, Paul Bocuse, et Pierre Gagnaire, triplement étoilé en 1993 ? » A cette question d'un reporter de TF1, le grand Paul réplique en mars 1993 : « Moi, je suis une Rolls de 1965, et Gagnaire de 1993. » Pas faux !

Bon confrère, chaleureux en amitié, cœur généreux, l'empereur de Collonges s'est réjoui de la suprême récompense du Michelin attribuée, à la surprise générale, au non-figuratif de la grande cuisine française, au lyrique abstrait de Saint-Étienne – et il n'y a pas queux plus opposés par l'assiette et son contenu que ces deux super-étoilés qui font jaser la France de la gueule. Le Lyonnais, bien assis près de sa broche à poulets, n'est en rien homme à envier la génération des toqués qui montent, à vouloir engager une sorte de course poursuite avec les modernes, Michel Bras, Michel Trama, Marc Veyrat et le tout fou Gagnaire. Le commandeur Bocuse reste ce qu'il est, et sa cuisine aussi, même si les grincheux s'amusent à placer quelques banderilles sur sa carcasse blindée – nulle part ailleurs, le retour à la vérité des plats de famille n'est plus sensible que dans ce temple des vertus culinaires : c'est la table comme réconfort physique et mental.

Le sommelier Yann Éon.

« Gagnaire sert du Gagnaire chez lui, me voyez-vous faire du Gagnaire chez moi ? Ici, à Collonges, la carte n'a pas changé depuis trois décennies. Croyez-vous que, bien épaulé par ma formidable brigade de cuisine, je n'aurais pas été en mesure de proposer des créations, des préparations inventives, peut-être plus valorisantes que la côte de veau en cocotte ? » Pas faux, cher Paul.

Au fond de lui-même, l'ancien commis de la Mère Brazier a bien senti dans les années 70 que la nouvelle vague des queux dynamisée par Henri Gault et Christian Millau ne passait pas par les bords de Saône, et qu'il n'allait pas sauter, tel un jeunot avide de hochets, dans le train de la mode. La nouvelle cuisine conçue comme un état d'esprit, très peu pour lui. Trop compliqué. Paulo, un cœur et une gestuelle simplissimes.

Le grand Paul dans les prés et les champs de Collonges-au-Mont-d'Or.

Tout autour de chez lui, les jeunes Turcs des pianos *new-look* explosaient, Chapel à Mionnay, Georges Blanc à Vonnas, et les Troisgros à Roanne, bien moins conservateurs qu'on le croit ; le Bocuse lampeur de beaujol'pif, solide découpeur de saucissons et de gratins de cardons restait ferme sur ses positions, arrimait son navire kitsch à la rive de la cuisine de papa Point et de maman Brazier. Pourquoi enfiler les défroques des autres ? Pour quels motifs vaseux troquer le poulet de Bresse en vessie contre l'émincé de ris de veau aux mangues et aux pistils de safran ? Et la soupe de légumes contre la valse du haddock et de la sole en robe de mers ?

Échange-t-on l'expérience culinaire qui vous a fait chef contre la fantaisie décorative, l'à-peu-près sans goût, et les petites portions pour blasés de la gueule ?

« La cuisine, c'est des os, des arêtes et de la peau » – de la provocation façon Bocuse. En profondeur, la manière ancestrale du cher Paul repose sur de solides bases – on l'a compris – et elle exige la mise en œuvre de produits parfaits, ceux-là mêmes que le gourmet recherche de tables en restaurants. « La star, c'est le produit, le chef ne vient qu'en second. » C'est le même langage, la même obsession que Joël Robuchon, Fredy Girardet, Bernard Loiseau, Marc Meneau, Michel Guérard et tous leurs frères en gourmandise. Jamais ce souci de la meilleure matière première possible n'a été plus vif, plus prenant, plus actuel. L'industrialisation des aliments a modifié les priorités du chef patron. Le saumon ? C'est l'aléatoire complet, un poisson suspect par excellence. Et ne je dis rien des volailles, du bœuf, du jambon, des coquillages, des crustacés, des œufs, des pommes de terre, des légumes : il faut être le Sherlock Holmes des marchés, des bouchers, des tripiers, le Rouletabille des bonnes adresses, pour ne pas être trompé.

Les grands trois-étoiles français sont devenus le conservatoire des nourritures en sursis. La déperdition en qualité navre le gourmet qui en est réduit à noter dans son éternel périple de bouche les adresses des bons producteurs. Exemples : le jambon sec de Loiseau, et les poulets de Bocuse, les cornichons de Troisgros, l'huile d'olive de Ducasse et ses pâtes, le pigeon de Taillevent, et les fromages de montagne – le reblochon – de Girardet. Les grands restaurants sont les derniers refuges des splendeurs de la table française. Et pas seulement des foies gras des Landes, des truffes de Pébeyre, et du caviar Petrossian.

Chez le grand Paul, la carte des mets rassemble les produits basiques les plus protégés de la lèpre industrielle, à commencer par le poulet qui vient de chez Miéral, grand éleveur, par le veau nourri sous la mère, par l'agneau de pré salé, par le homard de Bretagne, les artichauts, les haricots verts, les champignons des maraîchers locaux. Le terroir retrouvé. L'abbaye de Thélème où les gourmets vivent des bonheurs oubliés. C'est Roger Jaloux, chef en titre, qui fait le marché – où sont les chefs MOF qui tâtent le turbot, et scrutent les ouïes de la sole et les haricots verts ?

Bon gone en apparence, le Paulo au ventre de gros bonnet ne tolère aucune fantaisie dans l'exécution. « Le patron est intraitable », clame Roger Jaloux, responsable de la brigade, de la mise en œuvre des recettes strictes. De même pour les fonds, le mouillement, les cuis-

sons et les sauces : c'est la manière Bocuse qui est exécutée par les toqués de Jaloux, la vinaigrette au Xérès ou beaujolaise, la soupe cressonnière, la sauce choron du loup, la sauce au Noilly, la béarnaise du sandre, la mousseline du turbot, l'américaine du homard, la sauce marchand de vin du filet de bœuf à la moelle, la sauce fleurette de la poularde – un véritable florilège de la grande cuisine. Des vestiges ? Des saveurs perdues, oui.

Merci, Bocuse ; on ne fait pas marche arrière chez lui, on perpétue certaines vérités éternelles que bien des cuisiniers de restaurants ignorent – à tout jamais. Eh oui, les chiffres sont là : 80 % des queux ne savent pas composer un navarin d'agneau avec des navets, saisir une langoustine, découper un cul de veau, cuire un poulet à la broche, mouiller une

La cuisine-spectacle chez Bocuse. En face du chef patron, Roger Jaloux, Meilleur Ouvrier de France 1976.

salade et glisser le loup dans sa croûte. Les bases de la cuisine française sont en train de se perdre. Les jeunes générations de queux enregistrent une dizaine de recettes passe-partout et hop ! les petites annonces de *L'Hôtellerie* ou de *Boissons Restauration* vous offrent une place de commis, de gâte-sauce, d'arpète – et advienne que pourra ! Le maître Robuchon confirme cette accablante statistique : notre patrimoine culinaire est en péril.

Il y a chez le Paulo de Collonges un souci de missionnaire de la vraie cuisine française. Il y a de l'évangéliste au nez rouge – le bateleur pour la bonne cause qu'on appelle ambassadeur de la tradition. Il a aidé à créer l'école de cuisine d'Écully, il préside le concours du Meilleur Ouvrier de France, il donne son temps aux autres, aux cohortes de gamins qui, la toque sur le chef, rêvent de la gloire du Lyonnais à la tronche d'aubergiste bien portant.

Tout cela, le gourmet le ressent au fond de lui-même en prenant place dans les salles à manger archikitsch de cette étape, ô combien réjouissante, de la France de la gueule. Pas un pan de mur qui ne soit recouvert d'un tableau, d'un diplôme, d'un chromo. Casanière, la chère ? oh, non : personne ne fait plus la cuisine comme chez Bocuse. Le retour aux nourritures authentiques, c'est ici qu'on le vérifie, une salade de haricots verts agrémentés de foie gras, les admirables filets de sole aux nouilles passés à la salamandre, le poulet de Bresse doré croustillant, les œufs à la neige, le baba au rhum disparu comme le théâtre de l'Ambigu à Paris. Et je ne dis rien du service en salle, le travail au guéridon qui éberlue les visiteurs étrangers. En cela, l'auberge du Pont de Collonges est devenue une sorte de conservatoire du bien-manger à la française, et une formidable adresse pour les gros appétits, les actifs de la bouche, et les forçats de la descente. Oublie-t-on cette fratrie qui se serre les coudes ? Qui mastique dans la joie, et veut partager son plaisir avec tendresse ? Eh oui, le peuple des travaillés des papilles cherche à préserver ces lieux de mémoire – et on va les aider ! Certes la menace des *néfaste food* (merci, cher Courtine) est mineure – en face des fausses bonnes tables de bistrots bidon, des brasseries tape-à-l'œil qui tentent le quidam aux papilles éduquées. Saluons le grand Paul et que Dieu lui prête longue vie, car, chez lui, la mort nous paraît infiniment lointaine.

La finition de la poularde aux truffes, et le jus de cuisson.

Filets de sole aux nouilles Fernand Point
Poulet de Bresse rôti à la broche au feu de bois
Fromages de la Mère Richard
Crème brûlée Sirio, gâteau Bernachon

*

Champagne brut Bocuse (A. Thiénot)
Saint-Véran Dubœuf 90
Moulin-à-Vent Dubœuf 85

MICHEL GUÉRARD

Le chantre de la minceur

Pour Jean Delaveyne

« Diététique et gastronomie. C'est dans le ravissement que l'on vient perdre son gros ventre à Eugénie », écrivent Henri Gault et Christian Millau en 1974, saisis par la nouveauté de la cuisine minceur – et gourmande.

Les deux compères ne sont pas encore des prosélytes du cru et du peu cuit. Guérard n'a que 18/20 dans le *Guide* et les cinq meilleurs cuisiniers de France à 19/20 sont Bocuse, Haeberlin, Chapel, Vergé et Troisgros Pierre et Jean. Les sauces à la crème prennent encore le pas sur les liaisons au yaourt. Les bourgeois ont la bedaine molle. Les kilos pèsent, mais ils posent un homme arrivé. Il ne songe guère à les perdre.

Guérard, lui, a pris du poids en composant des canards à la Margaux à Asnières, dans son bistrot de quatre sous. Il rêve d'une silhouette de dandy de la poêle, d'autant qu'il est amoureux d'une longue brune, à la démarche de squaw, la belle Christine Barthélemy dont le père s'est lancé dans le thermalisme, au milieu des prés et des sources des Landes, à Eugénie-les-Bains. Le cœur de sa Chimène ne cédera que si le queux se montre à la hauteur des événements. Pour qu'elle cristallise, il faut qu'elle le trouve beau !

A bas les régimes prison : il faut maigrir de plaisir. Et changer la façon de faire des grands cuisiniers de l'Hexagone. Oui, l'on peut se régaler sans enfler, sans ballonner – sans bourrelets. C'est le miracle d'Eugénie.

Vingt ans plus tard, la diététique gourmande à la Guérard est entrée dans les mœurs et sur les cartes-menus de tous les établissements de thalassothérapie, de balnéothérapie et des instituts de soins. On ne mesure pas encore l'influence magistrale des principes de Michel Guérard sur l'état d'esprit des grands cuisiniers du monde. Le premier, il a eu le culot de faire voisiner dans un trois-étoiles de la campagne française la table gourmande et la diététique de poète, c'est-à-dire de créativité constante.

L'entrée bucolique des Prés d'Eugénie, une oasis de sérénité.

Vingt ans après les débuts hésitants des menus minceur – c'était le temps de la langoustine en vedette –, Michel et Christine Guérard, la fée des Thermes d'Eugénie, se sont employés à offrir aux visiteurs, curistes

Michel Guérard devant le four-cheminée de sa maison.

ou non, un environnement bucolique sans égal en France – presque trop lustré, trop beau –, une sorte de rêve de perfection.

Le luxe, ou plutôt le charme, est partout dans cet immense parc de verdure où les thermes, les maisons d'hôtes – sans cesse de nouvelles – meublent les allées, le potager, et l'espace des Prés. Tout est calme et douceur à Eugénie et, depuis ces derniers mois, les prix de séjour se sont amenuisés, sans qu'aucune ségrégation ne s'installe entre les visiteurs. Il y a là comme une sorte de bonheur spontané, une nouvelle vision de l'abbaye de Thélème pour privilégiés de la vie.

Les Guérard sont des amoureux de la campagne amendée. Ce sont aussi des constructeurs, un couple de bâtisseurs. On voit mal où s'arrêtera cette frénésie d'entreprendre, depuis le vignoble de Tursan (une douzaine d'hectares replantés) jusqu'à la Maison rose (bonne adresse dans le parc) et à la demeure particulière des hôtes. A une époque de frilosité un rien désarmante, les Guérard vont de l'avant. Motivés d'abord par l'amour de ce village de poupée qui paraît sorti d'un dessin animé de Walt Disney. Même les paysans ont l'air de figurants dans le décor.

Les Prés d'Eugénie sont au bout du monde, à cinquante kilomètres de Pau (aérodrome) et tous les kilomètres accomplis nous éloignent de la civilisation urbaine, du stress, et de la pression des jours et des nuits. C'est pourquoi il faut séjourner à Eugénie, s'y ressourcer selon l'un des forfaits proposés – les pochettes surprises maison –, le plus efficace étant une cure d'une semaine ou de dix jours aux thermes avec ou sans diététique. Quelle importance : le homard, le bar, le pigeon, les légumes en raviolis, les coquillages figurent à la carte minceur. Les papilles en émoi. Ne manquent que les vins, cruelle absence.

L'expérience réussie d'Eugénie (120 personnes employées), l'implantation d'un certain bonheur simple, le *carpe diem* landais auraient pu reléguer la création culinaire au second rang. Après tout, le bondissant Michel a été le meilleur cuisinier de France comme l'a été un temps Alain Chapel. Il y a eu une traînée de poudre Guérard, un style du maître, une façon de réévaluer le legs d'Escoffier. Une volonté farouche de repenser les cartes de restaurant – et les bases du savoir-manger. « Faire la cuisine comme l'oiseau chante », le mot est génial, il est bien l'œuvre d'un esthète des préparations, d'un intuitif de la poêle, d'un Saint-Just de la bonne chère éduqué chez Ronsard.

Le pape de l'allégé, pris par de multiples activités – dont les plats Findus, les comptes de la chaîne d'hôtels du Soleil, les vendanges à Tursan –, aurait pu laisser à ses seconds l'aventure de la création culinaire. Combien de queux valeureux, couronnés par la triple tiare Michelin, parvenus au stade des honneurs multiples (et du bon compte en banque), ne sont plus motivés par la casserole, le feu et les goûts, ne se fiant qu'aux modes culinaires, aux plats dans le vent (le risotto à tout, le croustillant de n'importe quoi, la gelée de légumes) qui masquent la fossilisation du maître, son désintérêt pour le challenge du produit et de sa transformation. Un queux qui ne se remet pas en question perd la main et affaiblit sa pratique et ses tours de main.

L'art de la table, du décor et du service à Eugénie-les-Bains, un trois-étoiles modèle.

Rien de semblable chez Guérard, esprit vif et ouvert, d'une culture rare chez les queux d'aujourd'hui. Rien de statique dans la manière de l'ex-gnauleux du Crillon dont les neurones sont agités par un souffle d'inventivité jamais éteint. La crème froide de légumes verts, le soufflé chaud de fromage de brebis, l'oreiller de mousserons et de morilles à la truffe, le hachis parmentier d'oie et de ris de veau à la truffe, le ragoût de bonite aux pommes de terre – chaque saison a ses trouvailles, comme le bar coupé très fin et la bonite présentée (encore) à cru qui renouvelle le traitement de ce poisson méprisé.

Tous les plats de la carte d'Eugénie ont une touche particulière, jusqu'aux desserts, partie forte de brigade, comme cette béchamel sucrée qui se déguste en duo avec le pain perdu.

Le fougueux Guérard a bien conscience que la cuisine dite nouvelle tourne en rond et que les queux dignes de ce nom, travaillés par l'horreur de la routine, savent se ressourcer – le Japon, l'Orient, les épices – il y a cent façons de stimuler l'imagination créatrice.

Peu de chefs ultra-fêtés comme le seigneur d'Eugénie ont une aussi haute idée de leur métier, vécu comme une chance et un bonheur de tous les jours, de tous les instants. La cuisine

comme l'expression suprême du moi : « faire simple avec panache ».

On sent bien que le concepteur de la cuisine minceur n'est jamais satisfait de lui, de ses assiettes bucoliques, savantes ou sophistiquées, et que son destin se résume à un perpétuel dépassement de soi. Une recherche personnelle pour mieux combler les autres.

C'est pourquoi le poète des herbes et des agrumes n'est jamais en repos. C'est pourquoi le gourmet à l'esprit actif est assuré d'une parenthèse de félicité dans le berceau enchanteur d'Eugénie. Il est réconfortant de voir comment Michel et Christine Guérard ont cherché depuis peu à démocratiser Les Prés et les dépendances nouvelles, comme si le queux et sa femme avaient voulu toucher plus de monde et sortir du ghetto des *happy few*. Certes le prince d'Eugénie reste l'enfant chéri du jet set et des gâtés de la vie – ceux du moins qui sont assez cultivés pour juger de l'avance de Guérard, des sortilèges inventés dans cette oasis ouatée, perdue au fond de la France des mousquetaires.

Rien que la sérénité des lieux, la paix du décor vaut le voyage, j'allais écrire le séminaire. Où l'on évacue maux et démons. Pour se refaire la peau et l'intérieur de l'enveloppe charnelle car le plaisir des Prés, c'est d'abord le retour à la vraie vie. La seule.

La piscine dans le parc d'Eugénie et le balcon du Couvent des Herbes.

Les œufs à la coque au caviar, un chef-d'œuvre de Guérard.

Salade de homard au jus d'huître
Ragoût de bonite aux pommes de terre
Parmentier d'oie et de ris de veau à la truffe
Gâteau mollet du marquis de Béchamel

*

Tursan Baron de Bachen 90
Madiran Château Montus 87
Sauternes Château Doisy-Daëne 90

L'AUBERGE DE L'ILL
Le baume des Haeberlin

Pour Jo Olivereau

A l'entrée de L'Auberge, modeste sas, le buste de Paul Haeberlin, coulé dans le bronze. Tel un empereur romain, sosie de l'autre Paul, le seigneur de Collonges au Mont-d'Or, village jumelé à Illhaeusern, le grand Bocuse, l'ami de toujours, le guide suprême, avec Pierre Troisgros, de l'équipe de France des trois-étoiles Michelin. Les Haeberlin d'Alsace, Bocuse de Lyon, Troisgros de Roanne perpétuent à leur manière une certaine idée du bonheur à table. A la française. Une denrée en perdition ? Contre vents et marées, en dépit des tracas multiples (réglementations des notes de frais, mesures antialcooliques, contrôles fiscaux) et du prix élevé des additions, ces toqués de la gueule maintiennent en vie des restaurants de prestige très anachroniques, repères des fous de la bouffe, qui seront bientôt des lieux de mémoire, selon le mot si juste de Pierre Nora.

Qui se soucie de la survie des grandes tables françaises face aux véritables déferlantes de queux asiatiques ?

Par bonheur, elles ferment rarement leurs portes car la profession de queux, et l'attraction des poêles et de la gnaule ne sont pas près

Les Haeberlin au bord de l'Ill : Marc (à droite), le fils de Paul (au centre), tous deux responsables de la bonne cuisine de L'Auberge ; Jean-Pierre (à gauche) et Danièle Baumann, la fille de Paul.

L'admirable foie gras en terrine et sa gelée blonde.

de se tarir. A Vienne, Point menace de disparaître à la mort de la chère Mado, et un groupe immobilier installe un jeune chef bourré d'ambition, vite étoilé par le Michelin. A La Napoule, Louis Outhier rend son tablier et son second Stéphane Raimbault prend le relais ; et puis les hôtels de renom, le Crillon, le Ritz de Paris, les palaces de Deauville, de Cannes, de Nice (le Négresco), en passant par le Grand Palais à Biarritz, se sont dotés de restaurants de très bon niveau consacrés par le guide rouge. La lumière de la grande cuisine hexagonale brille toujours dans le ciel de la gourmandise. Et, par chance, le Michelin encourage la filiation naturelle, le papa queux transmettant les recettes, les tours de main, les fournisseurs au rejeton – la succession sans heurt. Les étoiles demeurent. Et le système a quelque chance de perdurer – les mauvaises langues murmurent que les trois-étoiles sont éternelles. Figées dans le métal.

Pour un bref retour en arrière, prenons le chemin suggéré par Monsieur Jadis d'Antoine Blondin vers le début du siècle. En 1862, L'Auberge de l'Ill n'est qu'une guinguette d'un village alsacien, Illhaeusern, à l'enseigne de L'Arbre vert. Les gens du coin se nourrissent de truites, de carpes, d'anguilles et de brochets tirés de la rivière par les pêcheurs assis sur les berges, et, l'hiver, le gibier des forêts réchauffe les estomacs. La choucroute, les grenouilles aussi, et le Riesling coule des carafes, versé par d'accortes serveuses.

En redingote et jabot, les bourgeois de Sélestat et de Colmar rangent leur calèche près des barques plates qui sont aujourd'hui encore amarrées à la rive pentue.

Le patron Fritz Haeberlin règne sur la gentille tambouille, il sait bien que les fidèles de L'Arbre vert apprécient d'abord la simplicité virgilienne du site, la légèreté de l'air, le bruissement des eaux contre les piliers du pont de bois, les accents savoureusement gaillards du dialecte haut-rhinois que parlent les arrière-petits-fils, Paul et Jean-Pierre. Une sorte de convivialité de bon aloi naissait spontanément. On se trouvait bien l'âme sereine, confiant dans la probité candide de la famille Haeberlin. « Il en fut ainsi toutes les saisons que Dieu fit, pendant soixante ans. » (P. A. Marchal, préface des *Recettes de Paul et Jean-Pierre Haeberlin.*)

A l'aube de la société de consommation, l'homme pressé de Morand qui suit Monsieur Jadis éprouve les mêmes sensations, en prenant place dans l'une des trois salles à manger de L'Auberge. Le cadre n'a pas changé d'une feuille de saule pleureur. Il s'est même amélioré, agrandi sans métamorphose radicale. C'est la douceur de vivre qui flotte dans les parages de L'Auberge, et plus le monde alentour subit les contrecoups, les ébranlements de la modernité, plus le paysage des bords de l'Ill se fige dans une sorte d'éternité. L'or du temps préservé.

Plus les villes sont minées par la lèpre des banlieues, plus la beauté tranquille de l'Ill nous émeut. Plus l'agressivité, la peur, la tristesse de vivre blessent l'existence, plus L'Auberge des Haeberlin agit comme un baume sur nos plaies. Pour un peu, on se contenterait de contempler les contours du tableau de verdure, d'observer le mouvement des eaux, une tartelette à l'oignon et un verre de muscat comme repas. L'Auberge, comme Venise, c'est un pèlerinage devenu une nécessité.

Nos souvenirs sont là, inviolés. Nos repas de fête des années 70-80 nous reviennent en mémoire à la lecture des plats de Paul Haeberlin, le matou à la lippe mobile qui mitonne encore l'admirable foie gras, le meilleur du monde pour certains gueulards. La truffe nature, le saumon soufflé nappé de la sauce au Riesling, le lièvre à la royale cuit sept heures, la noisette de chevreuil aux airelles et aux choux rouges, le colvert aux épices et aux figues, et la pêche Haeberlin, toutes ces préparations d'hier et d'aujourd'hui qui sont comme les lettres de noblesse culinaires de L'Auberge, et qu'il est impossible de rayer de la liste des mets. Le parfum si subtil de la sauce au Riesling – la même depuis vingt ans –, la délicatesse du feuilleté de pigeonneau aux truffes et aux choux (disparu de la carte) ont marqué l'esprit et la bouche : chef Paul, mettez-vous aux fourneaux pour nous ! Chef Jean-Pierre, priez votre frère de cuire une matelote d'anguilles à l'ancienne !

Jean-Pierre Haeberlin, patron de la cave, et Serge Dubs, meilleur sommelier du monde, grand découvreur de Vendanges tardives.

Les mets nouveaux chassent-ils les effluves des anciens ? « Nous avons des fidèles qui viennent déjeuner le dimanche à L'Auberge depuis trente ans, et ils n'ont jamais goûté d'autres plats que le homard en salade, le saumon soufflé et la pêche Haeberlin, souligne Jean-Pierre, le volubile confesseur des mangeurs. Les plats sont des rendez-vous. Des promesses de plaisir assuré. Ils ne veulent pas d'autres émotions. »

Le grand mérite du fils Marc, long jeune homme vif, sur le pied de guerre dès le petit déjeuner, a été dès les années 75-80 de ne pas chercher à chambouler l'édifice en introduisant les notions et leçons apprises chez les plus capés du Jockey-Club des queux – Bocuse, Troisgros, Lasserre –, mais d'ajouter des pierres à l'ensemble. En quinze ans, une belle brochette de plats nouveaux a trouvé place sur la carte des mets, des garnitures et des condiments que Paul n'aurait jamais songé à employer. Des exemples : la salade de tripes panées, au foie d'oie et fèves, le risotto de blé vert

MARC

JH

Jean-Pierre Haeberlin, peintre à ses heures, fut le maire du village d'Illhaeusern.

escorté de la sole à l'ail, les misala au caviar, ces pommes de terre cuites quatre heures, le bœuf black angus – quelque dix plats nouveaux par an destinés à la nouvelle génération des mangeurs voyageurs.

De tous les trois-étoiles français, L'Auberge de l'Ill est l'un des plus fréquentés par les quadras au palais affûté ; les prix sont restés sages, jamais insolents – même pour la truffe en croûte de pomme de terre – et l'attrait de la résidence hôtelière (onze chambres), au bout du jardin, ancienne maison de tabac décorée de très belles toiles de Roger Mühl, rend possible le week-end gourmand, en toute quiétude.

« Il existe un humanisme alsacien de la vigne et de la table », écrit P. A. Marchal ; et l'enfant de Metz Gilles Pudlowski, chantre des bonheurs locaux, ne me contredira point. Les terriens d'Alsace et de la plaine du Rhin, qui ont tant souffert des joutes franco-allemandes – Paul Haeberlin engagé sous l'uniforme français, Jean-Pierre sous celui de la Wehrmacht –, sont plus ouverts aux choses de la nourriture et du vin que la plupart des Français, c'est une évidence que n'importe quel La Bruyère d'aujourd'hui peut constater en flânant du nord au sud du fleuve. La table pour retrouver le sens de la vie. La vraie.

Témoin, ce couple de mangeurs d'allure timide assis près de l'immense baie vitrée, un dimanche d'hiver 1992. Hésitants sur la commande, tous deux d'appétit modeste, un rien craintifs, l'avisé Michel, un maître d'hôtel qui connaît son monde, s'approche d'eux. Il ne s'agit pas de brusquer les novices, mais de se mettre à leur niveau. Le menu ? Le plus simple. Peu chargé. Et un Riesling vieilles vignes choisi par Serge Dubs, l'oracle de la cave. Une demi-bouteille ? « Mais vous n'y êtes pas, monsieur le maître d'hôtel. Nous sommes venus ici faire un grand gueuleton. Je viens de toucher de l'Allemagne le reliquat en billets de banque des dommages de guerre, et tout doit y passer. Tout. Alors Dom Pérignon, Montrachet et Haut-Brion en magnum. »

La tête de Dubs. Écarlate. Soudain, l'homme se lève et sort de la poche de sa grosse veste de tweed des liasses de billets. Quelque huit mille francs. « Voilà. C'est pour vous. Donnez-nous ce qu'il y a de meilleur. En captivité, j'ai tellement attendu ce moment ! Ah, m'éclater chez les Haeberlin ! »

Le dimanche, après la messe de 10 heures, les premiers visiteurs se faufilent dans les salles à manger pour lamper le premier verre de muscat. Aucun restaurant de France n'est occupé si tôt pour le déjeuner. Il n'est pas midi, et les trois salles sont presque complètes. Le soir, dès 18 h 30, les Allemands et les Suisses se pointent, croisant quelquefois les derniers mangeurs du déjeuner qui n'en finissent pas de siroter l'eau-de-vie de mirabelle ou de framboise.

Pour les fidèles des alentours, L'Auberge de l'Ill reste la table de fête. Ce midi, le bon Marc Haeberlin a réservé une bécasse dodue apportée par un chasseur. Interdite à l'achat, la bécasse peut être travaillée par le queux si on la lui fournit. Ce sont les paradoxes de la législation de la gueule. Traitée en tourte enrichie de foie gras, une gâterie haute en parfums, tout le fumet d'un chef-d'œuvre.

Homard à l'orge perlé
Truffe en croûte de pomme de terre
Tourte de bécasse au foie gras
Pêche Haeberlin

*

Muscat Rolly Gassmann 88
Riesling Vendanges tardives Hugel 87
Graves Château Haut-Brion 78

LA CÔTE SAINT-JACQUES

Le bonheur en famille

Pour Christian Millau

Pour le gastronomade aux sens éveillés, l'étape de Joigny, à cent cinquante kilomètres de Paris, signifie bien plus que le prélude aux vacances. Pour les Belges, nation de fins becs, La Côte Saint-Jacques demeure l'arrêt obligé, à moins qu'ils ne choisissent l'un des trois-étoiles d'après, L'Espérance à Vézelay, La Côte d'Or à Saulieu ou encore Georges Blanc à Vonnas – l'autoroute A6 reste la providence des gourmets. Et, de Lyon à Monte-Carlo, le choix demeure embarrassant. Quelle est votre préférence ? En vertu de quel critère décidez-vous de dîner chez Bocuse, chez Pic, chez Suzanne Chapel, une auberge de légende qui fera un jour sa rentrée dans le cercle enchanté du Michelin – la seule énigme reste la date...

Assis dans une des salles à manger cossues de La Côte Saint-Jacques, un verre de Chablis Grenouilles pour la mise en bouche, le gourmet médite sur le destin exemplaire des Lorain, six personnes, trois couples unis par les liens du sang, de l'amour et de la table – une méditation façon Brillat-Savarin, l'esprit vivifié par la chère. Ici, sur les bords de l'Yonne, dans cette ex-pension de famille pour officiers, les améliorations n'ont cessé de modifier l'aspect des lieux, jusqu'à ce tunnel sous la nationale qui a fait tant jaser et qui débouche sur la rive droite de la rivière dans une demeure hôtelière au luxe hollywoodien. Chambres meublées pour le jet set, piscine chauffée, pelouse devant l'Yonne, petit déjeuner sous le ciel bourguignon et des suites un rien délirantes pour nababs en goguette. Le relais et château par excellence pour haltes gourmandes et expulsion du stress. Question : Michel Lorain, à la moustache frétillante, avait-il besoin de ces ornements capitalistes pour attirer chez lui les obsédés des papilles, les travaillés du palais et autres dragueurs de plats popotés ? Probablement. Le gourmet hait l'épate, et le style nouveau riche lui fait horreur, et s'il s'agit d'être heureux à table, pensons d'abord à Yquem et au foie gras, à la poularde et au Montrachet, à

Le père, Michel Lorain, et le fils, Jean-Michel, au premier plan.

Navigation sur l'Yonne pour la famille Lorain – trois couples. Au centre, Jacqueline Lorain, qui a créé La Côte Saint-Jacques avec son époux Michel, à droite.

la bécasse et au Richebourg, au Porto Taylor et au roquefort, et à la tarte au chocolat qui s'accommodera très bien du vin de Maury. Il ne mange pas le décor, écrivait Courtine. Certes, l'époque préhistorique, quand le génial Dumaine n'avait pas de turbine pour les sorbets, n'est plus. Ne nous lamentons pas. Le gastronomade a toutes les exigences de confort, mais les nobles plaisirs se suffisent à eux-mêmes.

Évidence. L'éventail des grandes maisons de bouche draine les super-riches de la terre, et, si les écus ne forment pas le goût, ils permettent de faire vivre La Côte Saint-Jacques et tous les trois-étoiles de France. Plus le sommeil est cher, plus le queux est à l'aise pour se procurer le homard femelle, les bars de petits bateaux, les pigeons de Bresse, le veau sous la mère, la truffe blanche d'Alba et le diamant noir de Pébeyre. Tout cela coûte des sous. Plus le tiroir-caisse est gros, meilleure sera la fête. Et la cave regorgera de trésors liquides. Le gourmet n'ignore pas que les salles à manger clairsemées minent le moral du queux, le vident de son énergie, de sa créativité, de son talent, les lamentations paralysant les gestes. Et le cerveau.

Devine-t-on l'ivresse qui saisit le chef épuisé après un service de cent couverts – le samedi soir à Joigny – quand la brigade de cuisine, une vingtaine de toques, a envoyé « la came » et autres splendeurs sans heurt, dans les temps impartis pour le plus grand plaisir du client ami ? Sait-on que c'est ce moment spécifique qui le motive du fond de lui-même – le baisser de rideau ou le salut des mangeurs repus ?

A La Côte Saint-Jacques, les Lorain père et fils ont su, depuis la première étoile, exciter le gastronomade. Le temps n'est pas si éloigné où le père mitonnait le poulet aux écrevisses du coin, les côtelettes de brochet à la jovinienne et la tourte de caille et foie gras. Figu-

Assiettes, couverts, verres à pied, fauteuils, décoration florale : le style trois-étoiles.

Les hommes du vin dans le tunnel, creusé sous la nationale, qui fait la jonction entre les deux résidences de La Côte Saint-Jacques.

rant encore comme reliques, l'admirable boudin noir escorté de sa purée mousseline et le bœuf bourguignon qui mijote de longues heures afin d'atteindre l'état soyeux de compote. C'était hier. Le gourmet n'a pas la mémoire courte.

En vingt ans, Michel Lorain a dressé son fils Jean-Michel, un garçon bien, mieux que bien – comme en rêvent tous les papas. Après l'éventail de stages qui vous forment un grand cuisinier, l'ex-commis a pris sa place derrière le piano de Joigny, fort de tous les tours de main, idées et recettes glanées chez les confrères du gratin, les maîtres du chinois.

Et que pensez-vous qu'il arriva ? Un affrontement entre le père et le fils ? Entre la manière Escoffier et le style Girardet, entre la tradition et la modernité – de la tête de veau gribiche ou du saumon en papillote, qui l'emporta ? Toute l'histoire de la cuisine d'aujourd'hui, ses querelles et ses mues rassemblées à Joigny, sur la carte des mets de cette auberge des bords de l'Yonne, voilà qui ne laisse d'intriguer.

La bonne nature des deux Lorain a pris le dessus. Mieux, la carte des mets reflétait, il y a peu, la double orientation maison. D'un côté la tradition, de l'autre la créativité. Le gourmet avait tout loisir de panacher son menu ; c'est ainsi qu'est apparu le voisinage si plaisant, cher à Jean-François Revel, auteur du *Festin de paroles*, du filet de lisette au vin blanc et du bar fumé au caviar, du cochon de lait croustillant à l'orge perlé et de la terrine d'huîtres, du râble de lapereau cuit sept heures et du gazpacho de langoustines. « Ce qui différencie ces deux manières de travailler, c'est le temps, note Michel Lorain, la cuisson longue ou la cuisine minute d'assemblage. Pourquoi privilégier l'une des deux ? La carte change au printemps ; Jean-Michel et moi confrontons nos intuitions, chacun s'exprime comme il l'entend. » Le père ajoute en confidence : « Mais mon fils fait ce qu'il veut... l'avenir de La Côte Saint-Jacques, c'est lui. » Pétri de dons, le fils Jean-Michel, sacré cuisinier de l'année 1992 par Gault et Millau. C'est mérité. Harmonieux, le cercle de famille, chez les Lorain.

Savourant la truffe aux choux, agrémentée d'un Pomerol sphérique en bouche, le gourmet peut mesurer l'évolution de cette maison au bord de la route bourguignonne qui ressemble si peu à un restaurant chic. Il y sera heureux sans ombre, car les propriétaires ont en eux le sens du bonheur. Et de l'amour des autres. Un samedi de printemps, Jacqueline Lorain, veste rose, sa fille et sa belle-fille attendent le départ des mangeurs du déjeuner. Il est 16 h 30, quelques tables n'en sont qu'aux fromages ! Et les merveilles du dessert, le millefeuille aux pommes craquantes, les crêpes et mandarines en chaud-froid, la crème pralinée et la glace vanille vont faire durer la douce euphorie jusqu'à l'apéritif des dîneurs. C'est cela la grande fête de la gueule chez les nantis.

« Jours tranquilles à Joigny », écrit Gilles Pudlowski dans un remarquable article du *Point*, insistant sur la sérénité, la paix instillée par la tribu Lorain – l'âme plurielle de cette étape où la nature rejoint la culture. Au printemps 1993, le bâtisseur Lorain – de la race de Blanc et de Loiseau – a fait sortir de terre une autre demeure en face de La Côte Saint-Jacques, un hôtel-restaurant de quarante chambres, Le Rive Gauche, tennis, héliport et vue sur l'Yonne. Comme Meneau à Saint-Père-sous-Vézelay, à une demi-heure de route, Lorain a voulu attirer une autre clientèle plus modeste qui pourra s'initier à la cuisine bourgeoise façon La Côte Saint-Jacques. Cela s'appelle s'adapter à l'époque. Rien n'empêchera le gourmand de s'offrir, le temps d'un week-end, les grands plats de Michel et de Jean-Michel, deux têtes pour un festin. Et, pour les vins de Bourgogne parmi les mieux sélectionnés de France, Mme Lorain vous prendra par la main. Attendez-vous à des joies intimes qui s'impriment dans le cerveau.

Le petit déjeuner dans la résidence ouverte sur l'Yonne.

Terrine d'huîtres
Bar fumé au caviar
Truffe aux choux
Millefeuille aux pommes

*

Chablis Fourchaume Jean Durup 90
Chambertin François Faiveley 85
Muscat de Beaumes-de-Venise 90

ALAIN CHAPEL

L'ombre du maître

Pour
André Parcé

Il fut dans les années 75-85 le plus grand cuisinier de France. Par la taille, le verbe et la haute idée qu'il se faisait de la table et de la vie d'aubergiste dans les Dombes. Par la rigueur d'acier qu'il incarnait dans le choix des produits et l'exécution des plats, certains très travaillés comme la célèbre poularde Albufera. Par l'influence considérable qu'il allait avoir sur une génération de jeunes chefs dont le plus brillant reste Alain Ducasse qui revendique sans biaiser le legs capital d'Alain Chapel – une cathédrale, a-t-on écrit de son vivant. Un très « grand », de caractère ombrageux, méditatif et secret – concentré sur un bouquet de fleurs comme sur la finition de la fameuse salade de homard. Ennemi du tam-tam médiatique, il me disait en 1982 : « Pas mal de choses sont parties de Mionnay. » L'art de la gelée, par exemple. Et un extraordinaire menu de gala pour son quarantième anniversaire, le 15 septembre 1977, initié par la famille Krug. (Voir ci-contre).

Treize ans plus tard, en juillet 1990, c'est lui qui partait vers le ciel des hommes en toque, laissant sa maison à sa femme Suzanne, ancienne infirmière de chirurgie, chargée de l'héritage, et à deux fils, Romain et David.

Fauché en pleine possession de ses moyens, terrassé par une crise cardiaque alors que son cœur n'avait jamais causé d'inquiétude à son

Hommage à Alain Chapel

A l'apéritif
Krug, Private cuvée
et petite friture de goujons du lac d'Annecy.

Jeunes poireaux à l'huile de truffes
CHASSAGNE MONTRACHET 1976 - Les Ruchottes - P. Ramonet - Prudhon

Rouelle de langouste bretonne à la vapeur de verveine,
aux girolles et chicorée
CHASSAGNE MONTRACHET 1976 - Les Ruchottes - P. Ramonet - Prudhon

Foie de lotte au vinaigre
et petit ragoût de bettes nouvelles.
PULIGNY MONTRACHET 1974 - Les Pucelles - Domaine Leflaive

Poule faisanne à la crème et aux chicons,
poêlée de champignons des bois.
CÔTE ROTIE 1967 en magnum - Cave personnelle de M. Chapoutier

Petit pâté chaud de lapereau de Garennes, son beurre.
Salade de roquette, reine des glaces,
et feuilles de chêne à l'huile de noix et chapons
MUSIGNY 1967 - Leroy

Saint Marcellin, vieux gruyère, reblochon,
Citeaux
CHAMBERTIN 1937 - Leroy

Glace crème de noisettes,
Pêches de vignes de Thurins rôties au four,
Brioche parisienne grillée,
Fruits rouges déguisés et confits,
Bugnes et mignardises.
Château d'YQUEM 1937

Moka, Brésil, Colombie.

Marc et Fine de Bourgogne,
Quetsche et mirabelle de Lorraine,
Tarragone et Liqueur de framboise,
Poiré de la Vallée du Rhône,
Grande Champagne Louis XIII de Rémy Martin.

Mes cigares.

Le verre de l'Amitié.
Krug, Private cuvée.

De l'ancienne auberge peinte par Utrillo aux lignes pures de l'établissement phare d'aujourd'hui, la trace d'Alain Chapel.

Courageuse et fidèle, Suzanne Chapel tente, soutenue par ses deux fils, de maintenir l'héritage de son mari Alain (sur la photo, à droite).

entourage – Suzanne peut en témoigner –, happé par la grande faux, un soir d'été, comme Jean Troisgros, à peu près au même âge, ainsi meurent les artistes de la poêle.

« Alain était un perfectionniste anxieux », indique Suzanne Chapel, jolie femme, fine, élancée, qui avait su apprivoiser son fauve de mari, mal en point depuis le cap des cinquante ans. « Il souffrait en lui-même de la perte d'image de Mionnay. Son auberge triplement étoilée n'était plus reconnue, louée comme jadis. Il avait été très affecté par le 19/20 du guide Gault-Millau, par la perte du demi-point qu'il jugeait injustifiée. De même, les deux critiques gastronomiques ne l'avaient pas retenu dans le trio des cuisiniers du siècle, ce qui l'avait troublé. Il s'est senti marginalisé, exclu. Incompris. Toutes ces contrariétés de surface se sont accumulées, il s'est remis à fumer plus que de raison pour apaiser le stress permanent, et il a craqué un soir en Provence – pour toujours. Quinze jours avant le jour fatidique, il avait eu un excellent bilan de santé. »

La belle maison de plaisir désertée par son guide pouvait-elle perdurer ? Et sans la troisième étoile, enlevée en mars 1991, la superclientèle allait-elle se montrer fidèle ? Et le message d'Alain Chapel lui survivre ?

Sa mère Eva qui avait tenu la caisse jusqu'en 1985 et Suzanne la veuve ne songèrent pas une seule seconde à abandonner l'héritage du maître au front dégarni. Elles n'en avaient ni le droit ni le désir. Les deux fils d'Alain, deux gamins, reprendraient peut-être la suite de leur père. Et puis, les disciples du maître répondaient présent, à l'exception du chef de Mionnay, Maurice Lacharme, un très bon exécutant qui rendit son tablier après quelques péripéties malvenues.

Du Japon, de Kobé, Suzanne Chapel, soutenue par Alain Ducasse, fit revenir Philippe Jousse, le meilleur élève du maître, un garçon mince et droit tout à fait apte à assurer la succession du maître et, au-delà, à offrir une pa-

Le chef Philippe Jousse a su ajouter des plats personnels au récital Chapel.

lette de plats inspirés des principes chapeliens. Fils de boucher, élevé dans le culte du bien-manger par une grand-mère cordon bleu, Philippe Jousse a été initié à la cuisine de grande restauration par Jean-Michel Bédier, chef du Chiberta, à l'époque l'une des meilleures adresses de Paris. Un simple coup de téléphone d'Alain Chapel, à la recherche d'un commis, expédia Jousse à Mionnay, laboratoire de la cuisine moderne, cellule de création de quelques chefs-d'œuvre du goût. C'était l'époque, au début des années 80, où l'immense talent de Chapel explosait grâce à quelques plats, à un style culinaire à la fois opulent et dépouillé : le pèlerinage de gourmandises, comme nulle part ailleurs. C'est pourquoi de bons chroniqueurs, à la fourchette aiguisée, comme Michel Piot du *Figaro*, ont contamment loué, et défendu, la mémoire d'Alain Chapel. Des moments de vérité culinaire, d'une fulgurante simplicité, qui comptent dans une vie de gourmet.

Par exemple, les jeunes poireaux à l'huile de truffe, la rouelle de langouste à la vapeur de verveine, aux girolles et à la chicorée, la poularde Albufera, la côte de veau de lait de 450 grammes, la salade de homard, de gorges de pigeonneaux au pourpier et aux truffes, les navets noirs et foie gras chaud, la poule faisane à la crème et aux chicons, sans oublier la farandole de desserts de Jeannot (décédé la même année qu'Alain Chapel) dont les crèmes glacées à l'ancienne, la glace vanille turbinée au moment de servir un chef-d'œuvre, les bugnes et les mignardises.

Le gourmet néophyte n'explosera peut-être pas de concupiscence en lisant ces mets, et il aura tort : Alain Chapel a été le premier chef patron à privilégier le superproduit et à rechercher avec ardeur poulardes et canards, bons veaux et légumes parfaits, poissons de petits bateaux et crustacés d'Audierne – à l'apéritif les petites fritures des Dombes, et l'huître pied de cheval jamais croquée ailleurs.

Les asperges aux morilles et la poularde de Bresse dans la salle à manger privée.

Du navet méprisé, il a tiré une composition sublime, les navets noirs confits et le foie gras caramélisé. Du foie de lotte, inconnu au marché, et des carpes des étangs qu'on lui donnait, sans évoquer l'oreille de porc craquante, le sabodet et les boudins de la Saint-Cochon, il a régalé ses contemporains. Homme de tradition tourné vers l'avenir, Chapel a concilié toute sa vie les plats du terroir bressan et des créations à la fois simples et savantes. Cela se lit dans le florilège des plats signés de lui, jusqu'à trois lignes de texte descriptif, jamais obscur – ô combien salivant ! Quel façonneur de phrases ! C'est Hugo mâtiné du gastronome Alexandre Dumas.

Et cette rigueur serrée qui caractérise l'ensemble des mets. Ainsi que des mots bien à lui, nulle part employés, comme la gelée « tremblotante ou délicate », l'usage de « un » ou « une » dans la garniture de la côte de veau : « une » purée de pommes de terre et persil, « une » sauce légère au foie gras, « un » choix de cafés. Tout cela indiquant l'aléatoire et le risque. Rien n'est assuré au piano et le queux est faillible.

Depuis septembre 1990, Philippe Jousse est responsable de la carte. « Pour tous les Chapeliens, c'est le meilleur choix », dit André Parcé, producteur du Banyuls du Mas Blanc.

Le Lyonnais à la voix rauque, à l'œil pétillant, a été un redoutable dragueur des cadeaux de la nature, probablement le premier à viser le « produit star ». Rien sans lui. D'où la relative brièveté de la carte des mets. Et le jansénisme chapelien. L'exigence absolue.

Aucun queux ne parlait autant de ses fournisseurs, de maraîchers, de pêcheurs de petits bateaux, de ramasseurs de champignons et de framboises sauvages. « Ah, la livraison, le matin, des fruits et légumes, des asperges nouvelles de Villelaure, des melons, des carottes, des épinards qui avaient traversé la France, un grand moment ! »

Une admirable cave de vins de Bourgogne.

Suzanne Chapel le laisse libre de proposer un ensemble de plats qui s'inscrivent dans la postérité d'Alain Chapel. Ne pas dévier sans brimer la créativité et les élans du queux.

Jeune chef, très doué, Jousse n'est plus comme aux débuts du deuil le scribe attentif de la cuisine chapelienne. Il a pris son envol en conservant l'essentiel des grands plats Chapel, à commencer par les *must* de l'auberge, le sublime gâteau de foies blonds qui a fait pleurer de joie le très sensible Henri Gault.

« Près de la moitié de la carte actuelle est le fruit de mes recherches », souligne Philippe Jousse, debout devant le passe où se succèdent les plateaux d'argent du déjeuner avec des pommes de terre farcies aux truffes blanches d'été ou des cuisses de grenouilles à la ciboulette. « Il me faut près d'un an pour mettre au point un plat comme le saint-pierre rôti, les macaronis, échalotes confites aux morilles. »

Les salles à manger de Mionnay n'ont pas été modifiées, le blanc immaculé des murs, les dalles du sol, les fleurs sur les tables, les lignes pures comme la cuisine de Chapel, le terroir retrouvé. La quintessence des saveurs et des sucs. Le plat roi restant la magnifique côte de veau épaisse et fondante, juste escortée d'une purée de persil. Il faut observer le travail en salle exécuté par des maîtres d'hôtel hors pair, Hervé Duronzier et le savant Jean Tournadre, avec la vinaigrette au corail de la salade de homard et de gorges de pigeonneaux, les découpes de la croûte du vol au vent, de la côte de veau et la casse des pinces de homard. Le silence aussi, l'auberge de Mionnay suscite attention et recueillement – la messe et le raffinement. Rarissime.

La table de Mionnay survivra-t-elle longtemps à la disparition d'Alain Chapel ? Le retrait de la troisième étoile Michelin en 1991 a été ressenti comme un coup de poignard dans le dos. A la mort du cher Alain, le Michelin ajoutait le coup de pied de l'âne. Dans quel but ? Quel est l'intérêt du guide rouge d'abîmer un restaurant phare de la France gourmande alors que les fidèles de Lyon et d'ailleurs estiment, en toute bonne foi, que le message d'Alain Chapel a été transmis et que la qualité des prestations n'a pas flanché ? Pourquoi préserver la troisième étoile de maisons en évolution, le fils succédant au père, et compromettre la survie d'autres qui n'ont pas dérogé ? Combat douteux, le Michelin ne s'honore pas dans ce genre de verdict. Le cher Georges Prade l'avait clamé de son vivant.

La livraison des légumes, du pain et du lait en pot dans le jardin de l'auberge de Mionnay.

Le mérite de Suzanne Chapel est d'offrir des prestations du niveau trois-étoiles alors que la maison a été rétrogradée. Charges lourdes, coût sévère des nappes en lin, des assiettes peintes à la main, personnel nombreux, l'ancien relais de poste sur la route de Bourg-en-Bresse suscite bien des éloges. Suzanne maintient. Elle va de l'avant, grâce à Philippe Jousse, à son second, à la brigade. Émouvant, l'endroit l'est car on devine partout, dans le jardin ombragé, sous le cloître, dans le salon-fumoir, la présence du créateur de l'auberge, et sur la carte on lit ces mots signés de Chapel : « Le résultat est ce que nous sommes, l'œuvre est simple, vraie et sincère. » Elle continue.

Pommes de terre farcies, truffes blanches, cuisses de grenouilles à la ciboulette
Macaronis, échalotes confites, morilles, saint-pierre et son jus
Côte de veau de lait, purée au persil
Tarte aux pralines, soufflé au citron vert

*

Champagne Alain Chapel (A. Thiénot)
Mâcon-Clessé Thévenet 89
Saint-Joseph Chave 90

HOTEL

LE LOUIS XV

La cocotte noire d'Alain Ducasse

Pour SAS
le prince Rainier III

Monaco, une principauté d'opérette, une Altesse Sérénissime régnante et ses beaux enfants turbulents. Le casino le plus prospère de l'Hexagone, des yachts et des gratte-ciel comme à Manhattan, refuges de *moneymakers* de tout poil, le béton de luxe partout et quelques vestiges de la Riviera de lord Brougham, comme l'hôtel de Paris, un palace tout blanc, mythique, ressourcé, revivifié par un très grand cuisinier, Alain Ducasse, Landais d'origine, physique d'intellectuel barbu et lunetté, mince comme un moine – le premier trois-étoiles de l'hôtellerie moderne, maître du Louis XV consacré en 1991 par le guide rouge. Un événement.

Une date dans l'histoire de la table. Quel grand hôtelier d'Europe n'a rêvé de la triple couronne ? Le Ritz de Paris, le Crillon, le George V, le Plaza, le Meurice, le Savoy de Londres, le Cipriani de Venise, la Villa d'Este du lac de Côme, l'Excelsior de Rome, tous ces lieux de luxe et de mémoire ont un point de mire : Le Louis XV métamorphosé par un apprenti sorcier des fourneaux, Ducasse Alain, formé par un maître hors normes, Alain Chapel. Engagé en mai 1987, l'intrépide Ducasse, en quatre années de présence au piano du Louis XV, a réussi l'exploit impossible : hisser un restaurant de grand hôtel au rang des plus fameuses tables du monde. Le coup de maître qui a toujours paru impossible à toutes les têtes pensantes de l'hôtellerie contemporaine. Le rusé Ducasse aurait-il percé le mystère de Bibendum, et violé – comment ? – les tables de la loi du guide rouge ? Les inspecteurs du Michelin et le général en chef Bernard Naegelen ont-ils été floués, bernés, refaits par ce chef du Midi, apôtre d'un nouveau savoir-manger ? Ducasse a-t-il trouvé et exploité la faille du système ?

Tout est clair dans l'ascension du maître Ducasse. Passons sur le cadre rococo, les plafonds hauts comme des nefs, les tapis, les dorures et les enluminures du Louis XV. Pareille bonbonnière pour rupins rétro peut accueillir

Page de gauche : devant la façade de l'hôtel de Paris, la brigade de cuisine et les maîtres d'hôtel d'Alain Ducasse.

n'importe quel style de cuisine, des pires enflures sans goût des palaces d'autrefois à l'éventail de créations d'un queux moderne.

Qui se souciait de la chère à l'hôtel de Paris, avant Alain Ducasse ? L'habileté des dirigeants de la SBM a consisté à donner carte blanche à cet escogriffe aux longues mains, un fieffé gourmand, une sorte de génie venu du terroir.

A peine débarqué à l'hôtel de Paris, côté coulisses, le manager Ducasse s'est contenté de remettre en état les laboratoires culinaires vastes comme les soutes du *France*. Et de se faire accepter comme chef patron, responsable devant le Michelin avant tout. Par exemple, il a réussi à apposer son nom sur la façade du Louis XV afin de personnaliser au mieux l'établissement. Chapeau. Imagine-t-on semblable initiative au Ritz, place Vendôme ? Et au Crillon ?

Mais l'important dans cette conquête du pouvoir, c'est le talent évident de l'homme en toque. Et sa conception de la cuisine – c'est cela qui émeut le gourmet. Car Alain Ducasse a retenu la leçon majeure d'Alain Chapel, l'ermite de Mionnay : le produit avant tout. Et le bonheur du client. Pas de repas de fête – et quelle fête, au Louis XV – sans impression de la mémoire. Sans traces lisibles (au Louis XV,

La cocotte noire fumante de légumes et de lard.

Le directeur du restaurant, M. Gerini.

vous emporterez le bristol de votre menu, une attention pas innocente).

On se tromperait si on voyait en Ducasse un révolutionnaire des casseroles, un moderniste à tout crin, doublé d'un coloriste de l'assiette. Mini-portions et bouchées esthétiques ne sont pas son fort, ni la créativité à hauts risques. La nomenclature de la carte des mets n'exige pas de boussole pour se repérer dans le salmigondis des mots, et aucun lexique de potard n'est requis pour identifier les aromates et ingrédients. Simple. Ducasse est un apôtre de la simplicité. « Un homme aux goûts rustiques qui abhorre la sophistication », écrit sa biographe Marianne Commolli. Il parle de « gamelle » de légumes, de morceaux de lard gras dans la soupe, et, trouvaille iconoclaste, il envoie en salle une cocotte noire où mijotent sucs et parfums. Posée à côté des couverts en vermeil, du gobelet argenté, et de la nappe damassée. Un provocateur ? Pour un peu, on se croirait chez la Vieille, à Paris ! La cuisine de ménage réinventée pour un public de superriches dont beaucoup sont moins blasés qu'on le croit. Chez Ducasse, la proportion de gourmets sérieux dépasse la moyenne habituelle des grands restaurants. Cela tient à ce que la principauté réduite à son rocher ne compte que cinquante familles qui peuvent s'offrir les réjouissances de bouche ducassiennes.

Au sud de l'Europe, Ducasse a ses fidèles. On ferait fausse route si on voyait en Ducasse une sorte de Guérard de la Côte d'Azur, attaché à la cuisine minceur *new-look*. Le queux

Page de gauche :
sous les ors et les moulures, le chef patron du Louis XV (à gauche) et l'admirable collection de pains maison.

Le meilleur service du vin au monde ? A gauche, le sommelier Frédéric Romer, et Jean-Pierre Rous, une bouteille de Pétrus à la main.

du Louis XV s'est voué à la cuisine qui lui plaît, celle du Sud, de la Méditerranée, des parfums ensoleillés. Et d'abord celle de l'huile d'olive qui chez Ducasse remplace la crème. Ne voyez pas là un parti pris antibocusien, contre les apprêts d'une cuisine nordiste fondée sur la sauce, emblème ancestral du bien-manger à la française. Le sudiste Ducasse est un pro-italien, le chantre de la pasta, du gnocchi, des tagliatelles et l'introducteur du risotto sur toutes les cartes actuelles. Ah ! le risotto aux truffes d'Alba, le mariage de l'eau et de la terre. Oui, on se nourrit aussi de symboles. Et d'images – le soleil.

Le gaillard Ducasse allège et parfume. Il concentre les jus et offre des pommes de terre non pelées, des grosses carottes et des poireaux épais. Un terrien aux allures de poète. « J'ai des goûts de paysan, et quand je mange un plat, je veux boire du vin. Je ne gamberge pas des nourritures adaptées à certains vins, je sais qu'il y aura toujours un rouge, un blanc ou un rosé qui formeront un joli duo. »

« Ma cuisine, le contraire du luxe », proclame-t-il. Le croit-on vraiment quand on voit la profusion de truffes blanches sur les noix de saint-jacques ? Et la taille des homards ? D'un autre côté, peut-on dire que ses fameux cannellonis d'herbes, son pigeon aux cèpes et son quasi de veau entier relèvent de la cuisine d'apparat ? Ducasse est le queux le moins adapté à la surcharge, aux pâtisseries décoratives du Louis XV. Le contraste est saisissant entre ce pain aux olives – une pure merveille – et le décorum de salle pour nabab oriental. Et c'est là qu'est le prodige. Ducasse aurait pu imposer son style n'importe où. Comme les Troisgros ont conquis le monde en s'élançant de Roanne. Plus de trois cents plats, des plus travaillés aux plus dépouillés, dans l'ordinateur du Louis XV.

Jamais le climat du Louis XV ne vous étreint. Inoubliable moment de grâce.

Il faut dire que le queux est aidé par une brigade de salle qui l'admire et le sert. Cela se lit sur les visages du directeur de salle, M. Gerini, et des maîtres sommeliers, Rous et Romer. Il y a comme une fusion muette entre les mangeurs un rien estomaqués et le personnel qui accompagne le rituel. Il faut avoir vu cela dans une vie, semblable partition où rien ne pèse en dépit des ors et des crèmes séchées qui attrapent l'œil, au bord de la grande bleue.

Crème de poularde aux châtaignes
Légumes de l'automne en cocotte
Tronçon de grosse sole à la planche
Fruits rôtis en tarte paysanne

*

Champagne Krug Grande Cuvée
Coteaux des Baux Domaine de Trévallon 88
Sauternes Château Guiraud 88 (jéroboam)

LES CRAYÈRES

Gérard Boyer
Le prince de la Champagne

Pour
Rémi Krug

« Un dîner au champagne, c'est un rêve », dit Gérard Boyer, chef patron des Crayères, initié aux sortilèges du vin blond par les Champenois du grand négoce, voilà trente ans.

Les Boyer, Gaston, Gérard et Élyane son épouse, ne sont pas nés sur les coteaux de la Marne. Gaston Boyer, son père, a choisi la terre des Crayères, un peu par hasard, lassé du stress de la banlieue parisienne. Queux à Vincennes ou à Reims, la vie près du piano en inox n'est pas la même. L'émotion à l'heure du coup de feu, non plus. Le père Boyer a été un des très rares chefs patrons à investir par son talent, sa présence constante, et une vraie sincérité, un terroir, la Champagne des marques, des vignerons, des courtiers, des œnologues et des seigneurs de la mousse. Le père Boyer puis son fils Gérard – patron des Crayères depuis 1983 – ont d'abord cherché à adapter leur palette de plats au champagne – afin de mieux le servir, de mieux le mettre en valeur et de mieux l'honorer. Le champagne des rois, des évêques et des soldats mérite de semblables égards. Et une harmonie du verre et de l'assiette. Les Boyer ont été assez intelligents – et humbles – pour relever ce défi.

En 1961, Gaston Boyer vient jouer les pionniers de la grande restauration inconnue dans les parages. La Champagne des trois villes

Rénové par Xavier Gardinier, l'ancien hôtel des Pommery et des Polignac, transformé en grande maison française vouée au culte du champagne.

Élyane et Gérard Boyer sous la verrière ronde de la salle à manger.

phares du négoce, Reims, Épernay et Châlons-sur-Marne, n'a jamais donné naissance à un gros bonnet comme Fernand Point à Vienne, Pic à Valence, Troisgros à Roanne, Haeberlin en Alsace, Bocuse à Lyon ou Chapel à Mionnay. La terre des invasions, la cathédrale de Reims, l'océan des ceps, la côte des blancs, la douce vallée de la Marne n'ont pas eu l'heur de séduire un prince des fourneaux. C'est que les cercles restreints du grand négoce, les familles huppées du boulevard Lundy à Reims, de l'avenue de Champagne à Épernay, n'avaient nul besoin d'un restaurant étoilé, toqué, susceptible d'attirer mangeurs et gourmets. Pour quel usage ?

« Tout a changé en un quart de siècle. Jadis les grands bourgeois dont les racines plongent dans l'Histoire se recevaient entre eux dans les salles à manger de leurs hôtels particuliers, raconte Gérard Boyer. Ils n'invitaient pas au restaurant. Pourquoi l'auraient-ils fait ? Ils employaient des cuisiniers, et ils faisaient goûter leurs cuvées dans le secret et l'intimité. »

Dans les petites boîtes de Reims, d'Épernay, de Châlons, les fins becs venaient savourer des plats canailles qu'ils n'avaient aucune chance de goûter chez eux où régnaient le foie gras, le turbot, le filet de bœuf, la poularde et la charlotte aux fraises pour escorter le rosé.

« Nos premiers grands clients, les Lanson, les Clignet (courtiers fameux), les Polignac se régalaient de pieds de porc, d'oreilles de cochon, d'andouillettes, et de la potée au lard, mitonnés par de bons cuistots à la gouaille boulevardière. La joie d'être à table entre amis au bistrot, c'était une réalité. Pour ce qui est du caviar, on le servait chez eux. »

Et aujourd'hui, à la carte des Crayères, les œufs brouillés au caviar. Sans les Boyer, sans Les Crayères, sans l'empreinte du père et du fils, si unis, les Champenois de la gueule n'auraient jamais connu une certaine qualité de vie, de bonheur d'être à table, chez un valeureux queux, en lampant le vin saute-bouchon.

Les Crayères ont été restaurées par Xavier Gardinier quand l'homme d'affaires découvrit

Le salon-bar, les verres gravés de champagne rosé... Un certain bonheur de vivre l'instant.

le château de Mme Pommery dans la corbeille d'achat de Pommery et Lanson ; cette demeure de pierres blanches cernée par un parc parfaitement entretenu s'est muée en un relais château exemplaire, de ceux qui ne suscitent point de critiques. Par chance, la seconde vie des Crayères a pour maîtres d'œuvre Gérard Boyer et son épouse Élyane, superbe blonde aux charmes ensorcelants.

Élève de Jean Delaveyne, Gérard Boyer a bien vu dans les années 80 – comme Georges Blanc, Bernard Loiseau, Michel Lorain et Marc Meneau – que l'univers des grandes tables avait évolué et que la panse remplie, les rougeurs au visage et l'embonpoint n'étaient plus les seules exigences du gourmet. Manger plus intelligent. Le mieux-disant gastro, quoi !

Aujourd'hui, les restaurants cotés dans les guides remplissent leur mission, selon la créativité et le génie du chef patron. A la veille de l'an 2000, le gastronomade recherche autre chose. Un véritable moment d'art de vivre, et la célébration de multiples plaisirs.

« Les gens qui viennent déjeuner aux Crayères arrivent à midi et ils partent à 16 ou 17 heures, note Gérard Boyer. Ceux qui dînent ou passent la nuit sont là à 19 heures, s'en vont à 1 heure du matin ou le lendemain à midi. Ils veulent être pris en charge, délivrés des soucis de la vie. Changer de cadre. Voir des arbres, flâner dans le parc, regarder les fleurs, toucher les tissus des rideaux. Avant de passer à table, ils veulent entrer dans un autre monde, celui de la sérénité, de la gaieté, de la convivialité partagées. Tout cela commence par l'accueil et s'achève par la salut du voiturier. Entre-temps, c'est la fête des papilles. »

Les Crayères, comme d'autres relais triplement étoilés, c'est un climat. Une certaine légèreté de l'air qui s'épanouit dans la dégustation du champagne ; Boyer propose plus de deux cent cinquante références, marques, cuvées et millésimes. A des prix très doux. C'est aux Crayères qu'il faut découvrir des maisons et des bulles inconnues. Et se laisser guider par les maîtres d'hôtel dont l'exquis Werner, un

LES CRAYERES
GERARD BOYER

Le service des assiettes sous cloche, et les aiguières maison pour le vin et le champagne, si on le désire.

Allemand longiligne, qui bichonne les visiteurs des Boyer depuis vingt-cinq ans ! Un grand monsieur du service des champagnes. Accepté par les Champenois des maisons, fêté par les patrons, écouté des cadres du marketing – comment va notre marque ? –, le chef patron Gérard Boyer est l'ambassadeur des vins des coteaux. Il ne privilégie aucune maison, trois marques ou cuvées sont offertes à la flûte chaque semaine. Et on décalotte le flacon pour vous : rareté de l'excellence !

Oui, un repas tout au champagne s'impose. Suivi d'un grand bordeaux, le choix des Champenois qui savent boire comme Rémi Krug, amateur de Lafite-Rothschild, Jean-Michel Ducelier (Ayala), propriétaire de La Lagune, et Bernard de Nonancourt, acquéreur de Malartic-Lagravière, les bourgognes si proches sont moins prisés.

Au cours d'un week-end, le gourmet peut s'attabler plusieurs fois dans les deux vastes salles à manger aux tentures et tapisseries imposantes. Il faudra harmoniser plats et désirs, ce que feront les maîtres d'hôtel aux petits soins – le menu aux truffes en saison –, et savoir marier les mets et les cuvées. Tous les plats de Gérard Boyer vont avec du champagne – il faut savoir lequel, et la cuvée idoine. C'est chez Boyer que l'on vérifie l'adage fameux : plus on lampe le vin doré, plus on en a envie, et plus on en boit. La dépendance magnifique. La soif jamais apaisée de saveurs liquides et de queues de paon infinies.

Le départ des plats avec Gérard Boyer au passe : l'œil du chef aux aguets.

Exemples de plats enlevés de la chère d'aujourd'hui, la salade du père Maurice, la salade de truffes à l'huile d'olive citronnée, le bar cuit à l'arête au sel de Guérande et à l'huile d'olive, le paillard de veau de lait aux champignons, les saint-jacques en papillote aux endives confites, le bœuf d'Angus et sa béarnaise, la poularde de Bresse en demi-deuil, son riz basmati au foie gras, le dessert tout chocolat, toutes ces réjouissances ne bouleversent pas l'histoire de la cuisine en France, Gérard Boyer ne vise pas le Larousse des queux.

En revanche, la régularité dans l'exécution force l'admiration. Notez que Gérard et Élyane Boyer s'absentent rarement de ce château de la pétillance, attachés qu'ils sont à la barre, « mais cette dépendance produit des plaisirs égoïstes ». Comme quoi servir les gens c'est aussi une façon d'aimer le travail et la vie.

Salade de truffes à l'huile d'olive
Bar au sel de Guérande
Poularde demi-deuil
Crème brûlée

*

Champagne Lanson blanc de blancs 83
Salon brut 82
Blason de France Pierre Jouët

TROISGROS
La nostalgie qui nourrit

En souvenir de
Jean-Baptiste Troisgros

Le gourmet d'aujourd'hui n'accomplit pas le voyage de gueule chez les Troisgros, à Roanne, sans une sorte de respect, de révérence pour une famille de cuisiniers, de la race des aubergistes de la France profonde, qui a formé le goût, les papilles, le savoir-manger (et boire) de deux générations d'obsédés de l'assiette. Chez Troisgros, Pierre et Jean, nous avons reçu l'initiation à la gourmandise noble. Nous avons fait nos premières expériences de « grand menu », rythmé par des plats maison qui ont été autant d'exemples emblématiques. Cohortes d'Américains, trains de Japonais, de Suisses et d'Allemands ont suivi – jamais un restaurant de gare n'aura vu défiler pareilles escouades de gueulards ingénus.

Le mérite des Troisgros, de Michel le fils de Pierre, le successeur râblé, barbu, le poil noir, le rire sonore, est d'avoir fait évoluer le saumon à l'oseille, ce plat millésimé 91 ; à elle seule l'escalope de saumon poêlée résume toute l'histoire de la cuisine moderne. Pas seulement la manière Troisgros. Par exemple, la forme du saumon, d'abord l'escalope découverte chez Maxim's du temps d'Alex Humbert, et aujourd'hui le pavé cuit moelleux, fondant et délicat, toute la tradition Troisgros en mouvement s'inscrit dans cette transformation, sans parler de l'insolite assiette carrée !

Tous les deux ans, le saumon à l'oseille est repensé, recréé, réinventé. En le savourant, toute votre existence d'arpenteur de belles tables remonte des profondeurs de la mémoire, et défilent les moments de festins phénoménaux engloutis dans l'ancien bistrot de cheminots roannais. Nostalgie d'un autre temps. Voici pour exciter les neurones du cerveau le grand menu de 1976 qui a déclenché l'amour de la grande cuisine moderne chez nombre de gourmets. Quel est le fourchetteux qui n'a pas rêvé ce pèlerinage ?

Mousse de grives au genièvre
Cassolette de queues d'écrevisses
Escalope de saumon à l'oseille
Pièce de bœuf de charolais
au Fleurie à la moelle
Gratin forézien
Chèvre de Marcigny frais
Le grand dessert, les mignardises

Et, en escorte, le champagne Henriot, Cuvée Troisgros, le Sancerre blanc de la Loire, le Fleurie frais en pot, le cognac Hine, sélection Jean Troisgros, et le cigare en combustion au bar. Chacune des assiettes avait sa justification absolue. Les grives existent encore, les écrevisses pattes rouges aussi (recette fameuse

Férus d'art moderne, les Troisgros père et fils devant la sculpture d'Arman, en face du restaurant de Roanne.

Les trois Troisgros, Pierre, Michel et Claude, devant les escargots.

de Point et de Lucas Carton), la création est là, grâce au saumon de Loire, l'oseille de la soupe de maman Troisgros, les fromages des fermes du Forez et la kyrielle de desserts dont le coulis de fruits rouges, si banalisé aujourd'hui.

Ah, on s'en met jusque-là ! On n'est pas menacé par les censeurs alimentaires et les gourous filous, hâbleurs et faux-culs. Manger bien, c'est vivre heureux. La cuillère à sauce lancée par Troisgros, voilà l'instrument, le totem du bouffeur aux joues roses, c'était le temps béni de la salade riche où entraient 120 grammes de foie gras, vingt-quatre pièces d'écrevisses, 40 grammes de truffes et des dés de homard. C'est l'époque de la salade d'écrevisses, quatre-vingts bestioles pour quatre ! Des bécasses au Chambertin et foie gras. Qui n'aurait envie aujourd'hui de tester ces merveilles ? Elles demeurent sur la carte, à quelques variantes près : le charolais a été évacué, les écrevisses viennent d'ailleurs, la bécasse est interdite.

Classiques, les Troisgros ? De gros bonnets malins, très expérimentés, qui exécutent les figures imposées de la haute cuisine – après Escoffier et Point ? On régalait les visiteurs sans prendre de risques, on jouait la sécurité, Jean aux fourneaux (personne ne peut s'approcher) et Pierre au garde-manger, le veilleur du passe. Imparable, le tandem, la brigade suit au garde-à-vous, sinon « gare à ton arrière-train ! ». C'est briqué comme une Rolls. Par deux champions.

En 1975, Claude Lebey écrit dans la préface des *Recettes des Troisgros, cuisiniers à Roanne* : « Ils ont conquis les gourmets du monde entier, et ils expriment leur talent de créateurs par le biais d'une cuisine de liberté. » Dans le même ouvrage, Pierre et Jean Troisgros soulignent qu'ils doivent à leur père Jean-Baptiste « des idées révolutionnaires ». Le contraire du confort intellectuel. Une constante remise en question des idées reçues. Ils sont des modèles pour quantité de jeunes Turcs des pianos.

Voici quelques-uns de ces principes de table lancés alors par les deux frères roannais, entrés dans les mœurs culinaires :

– l'absence des fonds de sauce, et de farine ;

– le plat est achevé par le cuisinier et non en salle, le queux est responsable de ce qu'il envoie ;

– l'acidité partout, la rigueur des assaisonnements par le biais du citron, des vinaigres (poulet), des câpres (filet de bœuf) et des cornichons – les plus parfumés du monde ; on dévore le pot ;

– la précision du goût : le gingembre bien net dans la soupe de moules ;

– le sous-vide dès 1975, grâce au traiteur-ingénieur Pralus ; les Troisgros auront dès 1982 la cuisine la plus moderne du monde ; ils installeront une table ronde pour les invités et les intimes ;

– les grandes assiettes, si pratiques, séduction de l'œil, invitation à la gourmandise ;

– les tableaux modernes acquis à des peintres contemporains ; les Troisgros, de vrais amateurs d'art – Arman, César, Lorjou, Mühl – sont plus que des fidèles ;

– le tour de salle du chef, le lien de convivialité noué par l'homme en toque. Le restaurant, comme un lieu vivant. Gaieté, plaisir – et

Le célèbre chariot de desserts. Au mur, les tableaux kitsch du restaurant.

Le Havane et le cognac, les petits plaisirs du chef Pierre.

Michel Troisgros et son père, deux singuliers champagnophiles.

facéties. Combien Bernard Loiseau a-t-il pris de seaux d'eau sur la tête quand il décortiquait les pattes rouges ?

Aujourd'hui, les Troisgros, père et fils, à la fin du repas parlent à tous les mangeurs qui sont ravis du dialogue.

L'allégresse du repas, c'est eux qui la transmettent au final. Une sorte de bien-être, le partage et l'échange.

Les abus et les rodomontades, ce n'est pas à Roanne qu'on a pu les constater. L'humour des nomenclatures, l'invention des mots sapides, les formulations cocasses, voilà une des spécificités Troisgros. Il y a chez les Roannais en toque un goût pour les astuces, le langage bricolé – le multicolore –, encore une trace de la créativité maison. Cela ne date pas des années 80, du temps de la mousse de grives, des coquilles Saint-Jacques à la vapeur (une sacrée innovation), de la salade de faisan aux pissenlits (à la moutarde et huile de noix). Les deux gaillards intitulent leurs créations le coupe-jarret (le veau), le canon d'agneau (pure cogitation, aucun morceau n'a jamais été baptisé ainsi), l'*opus incertum* (en latin, pour un feuilleté aux deux sucres), le serpentin de légumes (navets, carottes, concombres), les trois tiers au chocolat, et des pomelos (pamplemousses). Et le clou avec l'œuf en casse-tête aux truffes noires, photographié sur la scène d'un théâtre à l'italienne. La cuisine spectacle ? Les voilà, les rivaux avant l'heure de Pierre Gagnaire, et les maîtres à penser du Stéphanois, comme les Troisgros le furent pour Fredy Girardet.

N'en doutez pas, la révolution de la cuisine nouvelle a débuté ici aussi. Comme chez Guérard à Asnières et à Eugénie-les-Bains. Il faut louer les Troisgros d'avoir pris des risques, d'avoir imposé des plats comme la tresse de sole, comme la chapelure de cuisses de grenouilles à la coriandre, le halicot de pigeon aux haricots bigarrés – la formule la plus cocasse du monde.

La valeur ajoutée dans la haute restauration, c'est le talent. Chez les Troisgros, la tradition d'une certaine forme de cuisine, imprévue, surprenante, jamais hostile, a regorgé d'idées. Ainsi s'est réalisée la marche en avant de la maison. Le gourmet évolue aussi à table, dans la mesure où les queux progressent, inventent, changent les cartes – c'est ce parcours jamais achevé qui apparente la passion de manger au plaisir. Le vrai.

En 1991, les Troisgros ont fait édifier un jardin suspendu (un million de francs, une folie) où l'on prend le frais, sous le ciel forézien. Meubles de jardin, pelouse et beaux arbres. Tout le cachet d'une maison à la campagne, en face de la gare, dans l'ancien estaminet où les cheminots vidaient des godets de bourgogne frais. Là encore, un autre défi, le paysage modifié, l'environnement embelli – tout donner pour le bien-être des mangeurs : l'exemple total.

Soupe glacée au gingembre
Saumon à l'oseille millésimé
Lasagne de truffes
Caraméline à la mangue

*

Chardonnay du Pays d'Oc 91
Pomerol Château L'Évangile 85
Saint-Julien Château Léoville-Las Cases 85

BELLE EPOQUE
CHAMPAGNE

LA CÔTE D'OR

Bernard Loiseau
L'aubergiste au grand cœur

Pour
Claude Vergé

L'homme du terroir morvandiau ou la créature des médias ? L'aubergiste *new-look* de l'an 2000 ou le mystificateur de génie ? Un vrai chef de cuisine ou un bateleur frimeur ? Sceptique, le gourmet venu chercher son bonheur à la table de la rue d'Argentine à Saulieu. Sur le qui-vive, la démarche circonspecte – ce gaillard chauve, rieur, bon vivant est-il une star des fourneaux fabriquée par des officines de presse, par une poignée de journalistes-présentateurs qui ont fait de Loiseau un pantin articulé, un comédien de la poêle toujours disposé à prêter son image, sa faconde, sa gaieté à une émission de TV, à un magazine à forte diffusion ? Qui est le vrai Loiseau ? Assez retors pour flouer le Michelin, le Gault-Millau, le Pudlowski, le Champérard, le Bottin Gourmand ? Que penser de l'ex-apprenti des Troisgros dont la célébrité récente talonne en France celle du roi Bocuse ?

Loiseau a-t-il le don d'ubiquité ? On le voit partout. Il y a du Séguéla en lui. C'est le propagandiste de la bonne parole culinaire. Le marathonien des écrans, des micros, l'homme de presse (*New York Times, Le Journal du dimanche*) et de librairie (*l'Envolée des saveurs*), jamais en repos.

Apprenti chez les Troisgros. Le chef Jean posait la question des origines : il sera cuisinier comme moi archevêque !

Allons de ce pas prendre place dans l'ancienne halte gourmande d'Alexandre Dumaine, agrandie, rénovée, embellie, et juger, couverts à la main, de ce dilemme ô combien angoissant : Loiseau, l'ancien pilote des barrières de Clichy, le successeur du grand Alexandre, peut-il nous expédier au septième ciel de la volupté ? Un mot sur Dumaine et son livre d'or noirci d'autographes historiques – le comte de Paris, Maurice Chevalier, Mistinguett, Sacha Guitry –, hélas disparu à la suite d'un coup de colère de Jeanne Dumaine. Peu inspiré, un visiteur avait écrit sur une pleine page : « Chez Dumaine, on se remplit la be-

Successeur de Dumaine, Bernard Loiseau avec son épouse Dominique et leurs deux enfants, Bastien et Bérangère.

daine ! » Et l'épouse du queux avait jeté le livre dans le feu. Des cendres. En contemplant la cheminée du bar où se réchauffent les mangeurs sonnés par l'autoroute, puis par la route en lacet, je revois la Jeanne en furie sacrifier les compliments d'une vie de queux – et le regretter amèrement le soir dans le lit conjugal.

D'abord, il faut mériter Saulieu. C'est loin. Au bout de la France profonde. Le chemin des vacances d'hier. L'été, le soleil comme compagnon, et la balade – à trente kilomètres de l'autoroute – mettent en appétit. L'hiver, c'est l'épreuve. Le froid, le gel, le verglas. Les cerises sur le gâteau : les brumes tenaces et le brouillard à l'anglaise qui nappent les contours morvandiaux. Un véritable parcours initiatique, truffé d'images de foies gras, de poulardes, de homard et de champignons des bois. C'est le moment de commander par téléphone ou fax la poularde truffée (une heure trente de cuisson) cuite à la vapeur – ah, les effluves salivants ! Parbleu, la route, ça creuse !

C'est pourquoi l'accueil chez Loiseau ne peut être austère. Les jolies filles de la réception sourient, le bagagiste ne lambine point, et un certain bien-être s'installe dès la porte franchie. Bernard et Dominique Loiseau saluent tous les clients – à l'arrivée ou au moment du départ. En fin de repas ou de week-end.

En dépit du jardin paysagé, de la salle de restaurant baignant dans la verdure et les beaux arbres, du luxe ultra *in* des chambres, baignoires de bois et grand lit, Loiseau a réussi à devenir un aubergiste vrai. Chez lui, c'est l'anti-acteur, comme chez Chapel. Loiseau et son crâne bouillonnant d'idées pensent juste. Le visiteur doit être comblé, aimé, choyé. Le Bernard est le contraire du fakir, du magicien qui brasse du vent. Chez Loiseau – l'homme masqué par l'amphytrion –, la générosité n'est pas feinte. La bonne nature non plus. « A qui allons-nous présenter l'addition », se demandait-il avec sa femme Dominique, à l'issue d'un déjeuner réunissant tant d'amis et de relations. Dieu qu'il a fallu ramer !

Le chef devenu patron de PME (60 employés) savait que la restauration de La Côte d'Or en 1975 était un défi. Trois ans après son arrivée rue d'Argentine, aux côtés du sourcier Claude Vergé, au cœur de l'hiver, il me disait : « Ah, mon vieux, si je ne décroche pas la première étoile au Michelin, je crève. On ferme cette maison. Et je remonte à Paris ! » Par bonheur, le Michelin n'a pas lambiné.

Saulieu, il faut y aller. C'est le pèlerinage dans les terres inconnues, comme chez Michel Guérard à Eugénie-les-Bains, une oasis dans les Landes. Ni Loiseau ni Guérard n'ont une gare comme les Troisgros à Roanne ! Par bonheur, le Michelin de MM. Aubry et Trichot, honneur à eux, a compris les efforts de l'extouilleur de sauces débarqué en plein Morvan. Michel Piot, l'ami de toujours, et Christian Millau aussi. « Ce que j'ai fait ici, personne ne l'aurait tenté », avoue-t-il, maintenant. On peut le croire.

Voyons la carte, cet indicateur des plaisirs à venir. Elle est simplissime. Elle se veut rassurante : la lecture des plats n'exige ni dictionnaire ni manuel d'herboriste. Le mangeur identifie tous les mets, et rien ne vient assombrir l'humeur. On ne cherche pas à emberlificoter, ni à jouer du casse-tête. Par exemple, la vinaigrette qui dynamise les saveurs acidifie trois plats, le foie gras chaud, le pied de cochon aux poireaux, la sole cuite dans sa peau. Des plats affectifs, dit Loiseau. Non clochés. Pas de théâtralisation.

Inventif à sa façon, Loiseau est plus l'homme des jus que le propagateur de la cuisine à l'eau – on a beaucoup glosé sur les sauces à l'eau, c'est-à-dire sans fond ni crème. Les jus de viande pour la lotte, le jus de mer pour le turbot, le jus de persil pour les jambonnettes de grenouilles, le jus de queue de bœuf pour la côte de charolais, le jus de truffes pour le blanc de volaille – et la purée toujours truffée, une merveille – impriment les goûts majeurs du queux. « C'est l'âme de ma cuisine, dit-il, car il faut une identité claire à une maison de bouche. » Plus neutres, grenouilles et lapins se donnent moins, il faut les réveiller par l'ail. Comme les escargots par la purée d'orties, un classique des débuts.

Il y a chez Loiseau un puriste comme le furent Guérard et Troisgros – sans oublier Girardet, le premier à mouiller le foie chaud d'une vinaigrette à la ciboulette. Sans que l'assiette soit dépouillée, et les portions minimales, le grand Bernard ne charge jamais : voyez le sandre rôti à la fondue d'échalotes, sauce au vin rouge, le bar ou le turbot rôti, le rognon de veau à la moutarde, le pigeon rôti et sa sauce au sang, la côte de veau de lait sous la

La poularde à la vapeur du grand Dumaine, escortée de riz basmati aux truffes et d'un bourgogne blanc ou rouge choisi par Lionel Leconte (ci-dessus, à gauche), meilleur jeune sommelier de France, tout comme Stéphane Debaille (à droite).

mère, le gigot d'agneau aux chips d'ail – le *basic* noble de la cuisine de l'oiseleur. Bien plus complexe qu'il n'y paraît. Faire simple : un état d'esprit.

C'est ce que Loiseau appelle le néo-classique, la cuisine des racines – et l'enfant d'Auvergne se sent profondément bourguignon. Il est devenu le chantre de son terroir, répétant qu'il a été nommé président des produits de Bourgogne, jambon (admirable), grenouilles, charolais, saucisson, œufs, fromages, cochon, escargots et légumes de concours. Au gourmet curieux des choses de la table, Loiseau ne cesse d'expliquer son combat pour la qualité extrême des produits de base. Cela paraît un marronnier du « logos » culinaire, une antienne cent fois psalmodiée par Joël Robuchon, l'alter ego de Loiseau dans *Le Journal du dimanche* – un produit, une recette, un vin. Jamais la quête des produits « zéro défaut » n'a été plus ardue. Plus la consommation s'étend, plus il faut prêter attention à la matière première.

La grosse langoustine iodée. Le homard bleu de Bretagne. Le veau de lait, un prodige de saveur, de tendreté, de fondant : « Du beurre », dit Loiseau. Le meilleur ris de veau du monde, a-t-on écrit, en duo avec l'escalope de foie chaud, et la purée truffée – l'un des triangles d'or de Saulieu. Les morilles de France, juste saisies, mouillées d'un jaune d'œuf. Le bœuf du Charolais mis sur carte en mars 1993 seulement : les éleveurs choisis par Loiseau sont les aristocrates du métier. De même pour les maraîchers qui ont permis au queux de formuler un menu légumes en fête, cinq services pour un petit prix. Les menus truffes et cèpes : alternance selon les saisons. Pas d'esbroufe dans ce parti pris : un poireau récalcitrant vous trahit. Plat raté. Et que dire d'une tomate sans goût de tomate ? La star, c'est le produit. Où se niche-t-il ?

L'art de Loiseau est de sublimer la matière première. En préservant la légèreté – c'est en cela que Loiseau fait coïncider tradition et modernité. Il n'est pas figé comme un gros bonnet d'autrefois, et rien n'est plus satisfaisant que de constater la faveur de sa maison : ce samedi de printemps, cent quatre-vingts couverts pour les deux repas. Et une forte proportion de locaux, de Bourguignons attirés par le renom de La Côte d'Or. Pas de grande maison non enracinée dans son terroir, comme les Haeberlin en Alsace, ce qui n'exclut pas la cohorte des *rich and famous*. En 1945, Dumaine donnait à manger à Pétain, sur la route de l'exil à Sigmaringen (ragoût de pommes de terre et champignons) ; Loiseau accueille le président Mitterrand – appartement 58, allée des frères Troisgros, au-dessus de l'allée Bocuse – et l'hôte oublie les obligations peu festives de l'Élysée. Et en avant pour une poêlée de morilles, le carré d'agneau et ses abats à la ratatouille, un doigt de Savigny-lès-Beaune pour la bouche. Et les admirables desserts au chocolat.

Charentais de naissance, Landais d'adoption, le chef de l'État est un fidèle de Saulieu depuis qu'il ne séjourne plus à Château-Chinon, à l'hôtel du Vieux Morvan dont le propriétaire est décédé. Mitterrand et Loiseau ont de fréquents dialogues dans le jardin ordonné avec art – le seigneur et son queux, le tandem existait à l'Élysée quand le regretté Marcel Le Servot était convoqué par un autre prince de la fourchette, Georges Pompidou.

Il faut dire que Loiseau est le meilleur des hommes. Il a pris à Claude Vergé la bonne humeur, aux Troisgros leur bonhomie, à Bocuse le charisme du queux, à Joël Robuchon l'obsession de la perfection. A tous, le goût de l'amitié. Le cœur sur la main, l'œil pétillant, traversé tout entier par une sorte d'allégresse bienfaisante – il dit que c'est la belle Dominique, journaliste de profession, qui l'a transformé. Sans elle, un tâcheron des réductions. Grâce à elle, une boule d'amour. Pour la cuisine vivante. Et ses frères humains.

Ragoût aux morilles à l'œuf cassé
Fricassée de homard breton, sauce au corail
Côte de veau de lait, purée aux truffes
Le dessert au chocolat

*

Chablis Les Clos, Laroche 85
Vosne-Romanée Les Suchots 85
Marc de Bourgogne Clos Saint-Jacques

LE CROCODILE

Le classicisme d'Émile Jung

Pour
Gilles Pudlowski

L'Alsace, terroir d'élection pour le gourmet. Lieu de pèlerinage pour bombances et savantes beuveries. Il suffit de citer la litanie de quelques plats issus du folklore local pour sentir monter l'eau à la bouche, surtout si l'on a l'estomac dans les talons. Ah ! la tarte flambée, le jambon braisé et les spaetzele, le baeckoffe aux trois viandes, l'oie rôtie à la choucroute, le râble de lièvre au raifort, le sandre au Riesling, le strudel aux pommes, le kougelhof et la mousse au kirsch, et je ne dis rien des innombrables cadeaux du porc, toutes ces charcuteries fondantes qui agrémentent la choucroute. De Strasbourg, capitale de la gueule, le regretté Pierre-Marie Doutrelant avait dit : « C'est Strasbouffe ! »

Le gourmet ne peut être qu'amoureux de l'Alsace qui fait si peu parler d'elle – et de ses innombrables sources de plaisirs. Oui, la table est reine sur les rives du Rhin, et les coteaux pentus.

Les haltes gourmandes dans les winstub dépassent les joies simples des lyonnaiseries des bouchons des bords de Saône ; le pire étant pour l'appétit quand il faut se mettre à table après les amuse-gueules au fromage, à l'oi-

Émile et Monique Jung, créateurs du Crocodile.

AD. GRISON
1874
0 20 100 0

gnon, au lard. Peu de cuisines de région réjouissent autant les papilles et le palais que les nourritures gourmandes de l'Alsace. Il faut dire que nulle part ailleurs qu'à Strasbourg, Colmar, Riquewihr, Ribeauvillé, Illhaeusern, les classiques de la terre alsacienne, si ouverte aux beautés du cochon, ne sont mieux sentis, préparés, offerts qu'à l'ombre de la cathédrale de Strasbourg, sur les quais ou dans quelques repaires secrets dont seuls les obsédés de la gueule connaissent les adresses. Strasbourg, capitale de la gueulardise.

Le Crocodile, première table de la ville avec celle d'Antoine Westermann, est voué au culte de la bonne chère, façon Émile Jung, ce bon géant, massif et chaleureux, à qui l'Alsace de la restauration moderne doit beaucoup. L'enfant de Masevaux, comme les frères Haeberlin, ont été les pionniers de l'art de manger sur ces marches de l'Est où la juxtaposition des langages et des plats accroît la spécificité des manières de table, le dîner à 19 heures.

A peine entré au Crocodile, le monde change. Vous passez de la rue piétonne de l'Outre à l'univers feutré d'un grand restaurant dont la salle à manger rassemble tout ce qu'un mangeur d'aujourd'hui est en droit d'exiger d'un trois-étoiles phare de sa région. Les Jung, Monique l'épouse et Émile le queux, ont toujours eu une certaine idée de la perfection. Du mieux-être : le repas vécu comme une parenthèse d'exception.

Par exemple, ces murets de chêne surmontés de plantes vertes sont les mêmes que chez Lasserre, et la verrière transparente rappelle le toit ouvrant de l'avenue Franklin-Roosevelt. Tout pour le confort du gourmet, son parcours, fourchette en main, vers la satiété, bien que le savant Émile cite un mot étrange de Louis Vaudable : « Meilleur c'est dans l'assiette, plus

De la salle à manger classique à la cuisine ultra-nickel, le même univers de gourmandise intelligente.

Du côté des vins – superbe cave d'Alsace –, le chef sommelier Mestrallet et la jolie Véronique Lagrange.

j'en laisse. » Un mot qui ne peut faire l'unanimité dans la corporation des fins becs. Imaginez-vous l'abandon d'une seule miette de chausson de truffe en surprise ou de la Belle de Fontenay au caviar, deux *must* du Crocodile ?

Le style culinaire du maître ? La manière d'Émile Jung, on la connaît, et elle a subi peu d'évolution dans le temps, bien que les plats nouveaux – une dizaine – s'installent chaque année, comme ce turbot aux algues, escorté d'huîtres spéciales au vert, ou ce risotto aux saint-jacques et chipirons à la cardamome qui n'évacuent point les piliers du Crocodile ; le modeste Émile ne se voit pas priver ses fidèles des spécialités maison. Cela fait partie de l'éthique du queux : le visiteur ne saurait être frustré des désirs de la bonne chère jungienne. Qui s'en plaindrait ? Le foie d'oie au naturel est inégalable, et le flan de cresson aux cuisses de grenouilles, la gelée de jeune sanglier et de palombe aux baies de genièvre, le filet de bœuf en croûte sauce truffée, la poularde entière et les crêtes de coq au Riesling accompagnées de nouilles fraîches, la pièce de bœuf au Volnay et ses pétales d'ail frit expriment le savoir-faire, le talent, la personnalité d'Émile Jung. « Je suis resté comme j'étais, confie le queux échappé de son laboratoire, de sa voix calme. Ma cuisine d'hier est celle d'aujourd'hui. Tout est sincère dans ma carte, seul le produit change. Moi pas. »

Voilà un chef patron fort d'une solide expérience, frotté à toutes les cuisines d'Europe, qui ne se laisse pas perturber par les facéties de la créativité culinaire si obsédante pour la génération montante. Émile Jung n'est ni un franc-tireur, ni un poète refoulé, ni un épigone de ses amis. Sa cuisine évite les chocs et les contrastes pour privilégier les saveurs denses et la hiérarchie des goûts – cela se lit dans tous les grands plats qui ont marqué la trajectoire du queux, un authentique classique respectueux d'une certaine tradition, d'Escoffier à Fernand Point jusqu'à Troisgros et Robuchon. Et attaché à la perpétuation d'un style.

Goûtez l'admirable caille confite au foie gras mouillé d'une salade à l'huile de noix – elle ne peut qu'emballer le gourmet épris de rigueur. La recette, rien que la recette dans son exact déroulement. Le génial Robuchon ne fait pas autrement. Cela n'exclut ni la légèreté ni la précision des goûts. Christian Millau l'a bien vu : en 1985, son meilleur repas de l'année fut au Crocodile.

Le bonheur chez les Jung ne serait pas complet sans le contrepoint des vins. Émile, bon palais, fut un pionnier des Alsace de haute lignée. Au-delà de la cave modèle, du nombre de références – une véritable encyclopédie des appellations et des crus –, le chef sommelier Mestrallet est passé maître dans l'art de faire découvrir des vins inconnus comme les Riesling de Schmitt ou les vendanges tardives des viticulteurs vedettes de l'Alsace éternelle, Léon Beyer, Hugel, Trimbach, Schlumberger, Schoffit, Ostertag, Jossmeyer, Colette Faller, Rolly Gassmann, une pléiade de seigneurs des ceps. Et quel choix de Vendanges tardives ! Chez les Jung, les vins irriguent le cerveau.

Foie gras d'oie au naturel
Flan de cresson aux cuisses de grenouilles
Homard aux vermicelles dorés et baies roses
Streusel aux granny-smith
et aux fruits épicés

*

Riesling Schmitt 89
Pinot noir Hugel 90
Gewurztraminer Schlumberger 76

LE BUEREHIESEL

Le prieur du bäeckeoffe

Pour
Daniel Benharos

« L'année où j'ai obtenu ma troisième étoile, en 1994, Fredy Girardet l'a eue aussi chez lui, en Suisse. Pour moi, cela a été un choc, car Girardet est le cuisinier que j'admire le plus, et, au fond de moi-même, j'ai toujours pensé que je lui arrivais à peine aux chevilles. »

La première qualité de l'Alsacien Antoine Westermann, c'est son humilité, son effacement, comme un personnage du théâtre de Tchekhov. La bonté qui illumine le personnage se lit dans sa cuisine à la fois simple et savante, jamais ostentatoire ; le foie gras d'Alsace et sa texture de soie sont renforcés par la chair de la pintade, tandis que les sublimes cuisses de grenouilles sont escortées de Schniederspäetle, ces ravioles dorées farcies d'oignons et de lardons – une recette des mères alsaciennes.

La destinée de ce grand garçon au physique de père prieur de l'abbaye gourmande de l'Orangerie, sise à Strasbourg, tiendrait du hasard ou du génie si l'on posait que la cuisine n'est qu'affaire de transmission. D'un chef expérimenté à l'autre, le témoin passe ici et là, d'Alain Chapel à Alain Ducasse, d'Alain Senderens à Alain Passard, de Joël Robuchon à Philippe Groult (L'Amphyclès, à Paris), de Raymond Oliver à Claude Deligne (retraité) et Philippe Legendre, chef de Taillevent, de Claude Peyrot (Le Vivarois) à Bernard Pacaud, créateur de L'Ambroisie. Quelqu'un fait la courte échelle à un autre, le second en toque grimpe sur les épaules du chef et il voit la lumière. Le talent reconnu, l'art de cuire et d'assaisonner filerait ainsi, tel le fil d'Ariane, d'un leader à un épigone – la voie royale de la haute cuisine –, d'Escoffier à Fernand Point, de Guérard à Veyrat jusqu'aux stars étoilées des années 1990.

Antoine Westermann, créateur du Buerehiesel : toute une vie pour la table et le vin.

Comment faire son parcours culinaire sans l'autre ? Sans l'exemple ? En prenant son destin en main, et en faisant jouer ses racines.

Antoine Westermann, ses cuisiniers et les cocottes noires du bäeckeoffe.

C'est ce qui est arrivé à Antoine Westermann, électron libre de l'art culinaire moderne comme le furent Marc Veyrat, Pierre Gagnaire, Michel Bras, voyageurs sans bagages. C'est ce qui est beau, fascinant, dans ce genre d'aventure : le queux se crée selon l'instinct. Sa boussole intime. Son moi happé par la poêle, les huiles essentielles et la langue. Goûter, c'est vivre.

Le cas d'Antoine Westermann est exemplaire. Il a commencé dans l'univers des fourneaux comme apprenti dans de modestes buffets de gare – nappes en papier, bière tiède et cervelas pommes à la vinaigrette. Sous des néons de matins blêmes, la tambouille des réprouvés. Jamais il n'a pu s'intégrer dans une brigade aux parties définies d'un restaurant huppé, dispensateur de certificats reluisants et de leçons utiles pour réussir le beurre blanc et le baba au rhum. Songe-t-il à entrer à l'Auberge de l'Ill quand l'empereur Paul Haeberlin concocte la poularde Souvaroff, les sauces au riesling, les noisettes de chevreuil aux truffes ? Refusé.

Par chance, une brasserie de Paris, proche de la gare de l'Est, Chez Nicolas, pilotée par le regretté Julien François, président des Restaurateurs de France, l'accepte dans les cuisines, où il se frotte à l'organisation, aux produits de saison, à une grande carte et aux fins becs de la capitale.

Mais cette formation, pour utile qu'elle soit, n'aura pas marqué le doux Antoine comme celle qu'il eut le bonheur de vivre chez lui, dans sa famille, à Wissembourg.

Son père est peintre en bâtiment, et il en pince pour les petits plats de mères au piano. « J'ai vécu mon adolescence dans les jupes des femmes et les odeurs de bonne cuisine. La grand-mère, la mère et la tata s'y emploient pour régaler la famille. Et les fêtes du calendrier sont l'occasion de singulières agapes tout entières marquées par les classiques de l'Alsace gueularde. »

L'hiver, le père troque ses pinceaux de couleurs contre les longs couteaux de boucher : il sait tuer le cochon de la ferme, magnifique ressource alimentaire pendant la drôle de guerre. Qui pourrait oublier les salaisons, le saucisson, le jambon travaillé par un artiste du Ripolin ? Sûrement pas le gamin Antoine, qui assiste, médusé, au roulage de la pâte que les femmes vont farcir de tous les restes. Et ces viandes de bœuf, de veau, ces abats qui cuisent des heures avant d'être découpés et rangés en terrine pour le rituel bäeckeoffe du dimanche : des effluves qui vous marquent le cerveau.

Ah, le nez d'Antoine, et ses papilles sans cesse titillées par les fumets, les parfums et le désir ! Un tremplin parfait.

Le terroir alsacien, les recettes ancestrales, les patates et le lard, le chou et les saucisses ont meublé tout son être autant et plus que les braisages des grandes maisons jamais visitées. Cela s'appelle l'attachement à son identité. Il faut l'encourager, sinon nous perdrons notre histoire culinaire.

A peine installé, en 1970, au Buerehiesel – la Maison du paysan –, « dans Strasbourg sans y être », Westermann et son adjoint en cuisine font le voyage à Tours pour apprendre du maître Barrier l'art de cuire et de mitonner le foie gras. « Une des grandes émotions de ma vie. » De même, plusieurs repas au Vivarois, chez Claude Peyrot, célèbre pour son génie. Il fait ses classes quand il a dépassé le temps des humanités. Tant pis, tant mieux.

Ce qui sidère le gourmet qui guette son plaisir dans cette maison de bouche nichée dans les arbres du parc de l'Orangerie, c'est la

Le chariot de desserts dans un décor bucolique.

Antoine
Westermann

conjugaison bien rythmée des produits de l'Alsace éternelle et la créativité, la manière, le style wertermannien.

Un quart de siècle de travail, peu d'absences, et une évolution jamais atténuée – c'est ce qui émeut Viviane Westermann, l'épouse, la maîtresse de maison, la compagne de l'aventurier du Buerehiesel.

L'amour des beaux produits, la simplicité du traitement, la netteté des goûts, voilà ce qui s'exprime dans le foie d'oie, le pain de campagne grillé et la gelée au gewurztraminer, ou la langue, la cervelle et le fritot de tête de veau en vinaigrette, sans évoquer les cuisses de grenouilles, plat phare du Buerehiesel, sans négliger les gibiers, les terrines, les tourtes aux truffes et l'admirable poulette de Bresse cuite entière comme un bäeckeoffe. Ce plat emblématique de la haute cuisine résume à merveille la cuisine de cet Alsacien au grand cœur. Le cheminement des racines.

De la douceur partout. Un style sans heurts ni ruptures, qui ressemble à l'homme Westermann – tout de tendresse et d'humanité. De discrétion retenue. Plus qu'un grand cuisinier, un apôtre du bien-vivre qui a maintenu des femmes en salle, sous la houlette de Viviane Westermann. Comblé par le succès, les médailles (trente pour cent de clients supplémentaires grâce à la troisième étoile), le longiligne Antoine avoue s'échiner quinze heures par jour, « dans la joie », comme s'il fallait décrocher une quatrième étoile. Mais les courses solitaires à vélo lavent l'esprit et aiguillonnent l'imagination.

Voyez les prix très raisonnables pour ne pas exclure les modestes bourses, les menus très abordables, et le choix des vins d'une extrême étendue dans les AOC françaises, Bourgogne, Bordeaux et grandes cuvées de Champagne. L'Alsace – Tokay, Riesling, Vendanges Tardives, Grains Nobles (demi-bouteille) – sont à l'honneur ; venant d'un Alsacien de pure lignée, cela ne surprendra pas le gourmet au nez fin.

Prince des vins d'Alsace, le chef sommelier dans le cellier en bois.

Antoine et la fée du Buerehiesel, Viviane Westermann, ici dans sa boutique gourmande près de la cathédrale.

Cuisses de grenouilles poêlées
et schnierderspäetle
Poulette pattes noires cuite aux truffes
comme un bäeckeoffe
Brioche à la bière, glace à la bière

*

Cuvée René Lalou 85
Riesling Kienzler 92
Château Léoville-Poyferré 82

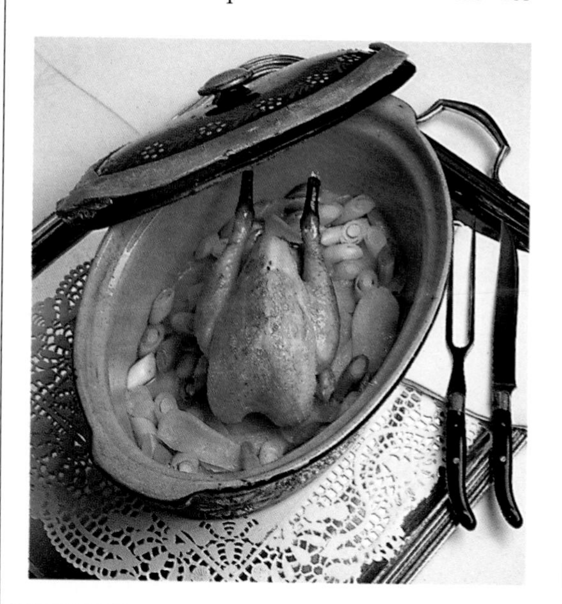

La poulette pattes noires aux truffes, cuite comme un bäeckeoffe.

L'ESPÉRANCE

Marc Meneau
Le pèlerin de la gourmandise

En souvenir d'André Guillot

« Cuisiner à Vézelay est une source d'inspiration et de renouvellement. Je peux travailler avec le vent, la pluie, la neige, le soleil, et subir le mystère de la colline éternelle. »

Ainsi parle Marc Meneau dans son livre *La Cuisine en fêtes* (Laffont, 1986). Le gourmet ne se rend pas à Saint-Père-sous-Vézelay, au pied de la basilique Sainte-Madeleine, sans une certaine émotion. Le site est admirable, ô combien évocateur par l'esprit qui souffle sur ce promontoire inspiré que traversaient les pèlerins en robe de bure, la coquille Saint-Jacques autour du cou, en route vers Compostelle. Des siècles de foi et de prières. Vézelay, de Paris et du nord de l'Europe, était l'une des étapes majeures du recueillement christique.

De grands noms de la littérature française, de Barrès à Jules Roy en passant par le marcheur Jacques Lacarrière, Maurice Clavel le fougueux, ont décrit la beauté, la noblesse, l'élévation du lieu – et nombre de mangeurs dûment attendus à L'Espérance se nourrissent de l'hostie sacrée avant de savourer le repas dominical préparé par Marc Meneau et sa brigade, dans la belle demeure de Saint-Père.

La salle à manger ouverte sur le jardin du Relais-Château.

Marc Meneau et ses cuisiniers au bord de la piscine du Pré des Marguerites.

Le chef patron est aussi vigneron de Vézelay, dont il espère décrocher l'AOC pour le chardonnay et le pinot noir.

Dans *Le Point*, dirigé par un membre du club des Cent et joueur de violon, Claude Imbert, le chroniqueur Gilles Pudlowski a titré un papier d'anthologie : « Meneau, Vézelay et Dieu. » Lumineuse trilogie.

Sachez que la nuit de Noël est prisée par les fins becs attachés au message de l'Évangile et lecteurs de la célèbre nouvelle de Daudet sur le festin à la truffe d'hiver qui attend les croyants, ce soir-là. L'abbé Oraison, fidèle du Vivarois de Paris comme le psychiatre Lacan, aurait aimé conjuguer l'amour du Christ et les emportements sapides de la bonne chère.

Voilà en effet une étape de gueulardise qui n'est pas comme les autres. A quelques jours de sa disparition, Serge Gainsbourg, 67 ans, qui n'avait rien d'un gastronomade – il appréciait le pastis autant que l'Yquem –, a coulé ses derniers moments de paix dans le parc ombragé de L'Espérance et au Moulin, en face, une oasis de sérénité. Au ciel, l'âme en paix. « Il avait enfin découvert la nature et la hauteur des arbres », se souvient Meneau, compagnon des ultimes instants du poète troubadour.

Vézelay et L'Espérance, la barre à une certaine hauteur. On s'élève – l'âme suit le corps. Le style culinaire du géant débonnaire Meneau, ainsi que le nomme l'enfant de Metz Pudlowski, subit-il l'influence de la colline aux contours mystiques ? Meneau le dit : « L'air de Vézelay stimule la gestuelle du queux. » De fait, sa progression dans l'inventaire des mariages de produits ne cesse de nous fasciner. Christian Millau parle de « la perfection absolue, de son art épuré, de la simplicité idéale », bien lisible dans le turbot au lait, le bar au caviar, la canette au sang et l'admirable tarte au chocolat. Du classique bon teint.

Nul doute que Meneau, l'autodidacte qui a bénéficié de l'enseignement d'Alex Humbert vingt ans chez Maxim's (la grande époque), de celui de Lionel Bénard, chef de maison bourgeoise (chez le shah d'Iran), de celui très moderne d'André Guillot, le solitaire de Marly, ne se soit forgé une idée très personnelle de son artisanat, et qu'il y ait au tréfonds de lui-même une volonté de se dépasser, de pousser plus loin, plus haut, ses recherches culinaires en vue d'élargir son récital. Son champ de vision, son savoir – sans filer hors des frontières, vers le Japon. Meneau est le plus français des cuisiniers – en cela proche de Joël Robuchon, des Troisgros et de Bernard Loiseau.

A n'en pas douter, Meneau, tout Bourguignon qu'il soit, est un créateur. Un mutant – le contraire d'un statique engoncé dans son carcan de recettes. Pour le gourmet, guetteur de sensations et de goûts, sa palette de mets est en constante évolution – et l'une des plus captivantes qui soient. Par les classiques remodelés, les assemblages novateurs et les expérimentations adoptées qui fonctionnent, comme la soupe de homard au pain. Oublie-t-il jamais les ratages et les fausses joies ?...

En fait, la manière Meneau est double, comme chez beaucoup de ténors des poêles. Elle s'inspire de la grande cuisine bourgeoise dont le queux est imprégné depuis ses débuts : le plantureux vol-au-vent riche de feuilleté, de mousseline de volaille, de foie gras, de ris d'agneau, de truffes ou de fettucine – on dirait un plat Escoffier du Savoy de Londres... Et le bœuf à la ficelle, mouillé d'une sauce vineuse et escorté d'un bouillon de tapioca. Drolatique souvenir de Françoise Meneau : ces ignares d'un repas qui refusent de « manger de la ficelle »...

Que dire du carré d'agneau, du gigot à la broche agrémenté de sa timbale de rognons et de ris à la crème – qui ose composer des assiettes à l'ancienne comme ça ? Qui se risque à mitonner des timbales, le *nec plus ultra* du style Guillot ? Voir sa timbale de fettucine aux truffes et parmesan – à se damner...

Il y a chez Meneau, artiste par nature moderne, une dilection particulière pour l'héritage, les grimoires, la culture culinaire – un vocable à lui. Rares sont les queux qui parlent de culture...

Peut-être stimulé par le souvenir de Humbert et de Guillot, Meneau au piano tisse un lien tangible entre la gourmandise d'hier pour ventres mous et les désirs du mangeur de la fin du XXe siècle. Qui ne se régalerait, comme l'ami Jean-Marc Simon, « gourmet et gourmand » (*dixit* Meneau), d'une ambroisie de volaille, admirable charlotte de foie gras et de truffes, d'un pudding de truffes, et d'une tourte d'asperges au foie gras – voilà la grande cuisine de la nostalgie ressuscitée. Meneau ou la fidélité.

L'autre facette du personnage, c'est le chercheur. Le chef de laboratoire mû par le goût, la quête et le travail sur les produits de saison. Cet aspect-là de Meneau a fait de lui dans les années 85-86 le premier cuisinier de France, le personnage phare de la restauration – une sorte de défricheur de saveurs qui réussissait.

Le petit déjeuner en famille autour de Françoise Meneau, la maîtresse de maison de L'Espérance.

Menus des 16 Mars ....

... 1943 à 21 h 30

Lait Maternel

... 1993 à 21 h 30

Champagne Moët & Chandon

Consommé double en tasse
macarons aux truffes

Homard rôti au lard

Tourte d'Asperges au foie gras

Salade à l'huile fine

Vacherin du Mont d'Or
tourteau de noix

"Glace au lait de riz et riz au lait"

Gâteau d'Anniversaire

Petits Fours

Confiseries

Par exemple, le fameux tournedos de homard pris dans un serpentin de lard frais épais, parfumé à l'huile d'olive et au jus de poulet – une métamorphose du crustacé.

En 1990, le maître de L'Espérance inventait l'assiette de fruits de mer prise dans la gelée d'eau de mer des coquillages, une composition marine du troisième type : la mer solidifiée, croquée, car la gelée translucide est hachée au couteau et disposée sur les huîtres et moules – à la limite du nutriment. Une vision extrême. « Si je pouvais réussir tous les ans un plat comme ça, je serais heureux », confie le découvreur de Vézelay.

En 1993, il poursuivait l'aventure du froid avec le homard qu'il transmuait en gelée crémeuse accompagnée de chair chaude. Là aussi, la surprise, des saveurs pures et nettes. L'alchimiste en toque découvre, éberlué, que la gelée de homard est blanche et non rose corail, tout comme l'extrait de tomate. Immaculé.

« Dans les mariages de base, il faut se souvenir qu'il y a une sorte d'alliance naturelle entre les produits qui poussent au-dessus de la mer et ceux qui naissent en dessous, note le queux qui a déplié ses longues jambes sur la terrasse de L'Espérance. Par exemple, les poissons et le riz, le bœuf et les carottes, le caviar et les pommes de terre, la truffe et le foie gras. Ces duos souvent sublimes marient aussi le noble et le rustique, la polenta, la truffe et le foie gras. »

Pour Meneau, la cuisine qu'elle soit haute ou simple est d'abord sensuelle, « en ce qu'elle excite nos sens, ouvre notre imagination et incite à la création ».

Dans la préface de son livre de recettes publié par l'indispensable Claude Lebey, il décrit toutes les fonctions des sens devant le piano, la vue (le nacré d'un poisson), l'oreille (le bruit des oignons qui crépitent), le nez (les champignons des bois), le toucher (la peau du chapon de Bresse) – c'est ce que Meneau appelle le bon sens des cinq sens.

Encore un intello de la cuisine ? Eh oui, à ce niveau de recherches, il faut que la matière grise aide à transformer la matière première de façon inédite, si possible novatrice. Chez Meneau, la créativité permanente – 150 plats par an – est un mode de vie professionnelle. Une façon d'aimer son métier – et les autres. De stimuler sa brigade.

Il dit très bien qu'en sortant de sa « cuisine-douane il va en salle se nourrir du plaisir des autres ». Aveu de belle sincérité qui honore l'ami de Rostropovitch, un fidèle de L'Espérance et des fromages crémeux de la divine mère Richard à Lyon. Homme de cœur, Meneau est un des rares cuisiniers qui ne cessent de louer leur épouse, qui recherchent en public leur assentiment – « elle m'a remonté le moral dans les moments difficiles ».

C'est le seul trois-étoiles français qui, parlant de son métier, dit « nous », incluant toujours Françoise au regard plein de tendresse.

C'est elle qui notera votre commande, en prenant le temps de comprendre vos désirs, même les plus secrets. Dîner de retour à l'enfance (foie de veau à la grenobloise) ou de découverte (filet de rouget en pétoncle de pommes de terre), mais les menus sont une bonne mise en œuvre de l'art Meneau, et, comme il le dit, « d'un essai de cohérence alimentaire ». Le menu est toujours une découverte de soi en face de l'inconnu.

Le séjour à L'Espérance est synonyme de retour à la douceur des choses, et d'abord de la campagne française – loin du cancer des villes. Comme une sorte de mise en condition pour apprécier au mieux la saveur et la volupté de la chère. Plusieurs adresses sur place, nées de l'expansion de L'Espérance, les chambres du relais d'origine, les suites du Pré des Marguerites, les appartements du Moulin sorti d'un poème de Lamartine. Et même des menus pour les pèlerins à des prix cadeaux. Jambon au Chablis, un verre de blanc de Vézelay, et le farniente libérateur. Une très grande maison.

Consommé de homard, crème de caviar
Lotte au quinquina
Côte de veau aux girolles, son jus
Cornet à la chiboust et à la fraise

*

Bourgogne blanc Vézelay 90
Saint-Aubin Savour Club 89
Chorey-lès-Beaune 85

GEORGES BLANC

Citizen Blanc

Pour
Maurice Beaudoin

Nichée dans un village de paysans de la Bresse, fermes et prés alentour, l'Auberge de la Mère Blanc nourrissait au début du siècle les marchands de bestiaux, les commissionnaires aux halles de Lyon, les grossistes en vins bourguignons, grâce aux cadeaux de la nature si prolixe – les écrevisses pattes rouges des rivières, les poulardes dodues, les veaux élevés sous la maman, sans parler des jeunes légumes et des fruits des vergers. Et on mangeait bon. On sauçait. On lampait les fillettes de blanc. Les gueulards ne transportaient pas à l'Auberge le fardeau de leurs problèmes. Le stress n'existait pas.

La Mère Blanc avait un réel talent, et la mémoire des tours de main et des trucs ancestraux (le filet de citron sur la volaille en fin de cuisson) qui instillaient de l'élan, une saveur inimitable au gâteau de foies blonds, à la fricassée de poulet fermier à la crème, et au divin gratin de queues d'écrevisses, le plat du dimanche après la messe, et Dieu sait que l'office religieux creusait l'estomac, l'hiver, car on était à jeun avant l'hostie. Eh oui, le déjeuner dominical brisait le jeûne, les mots sont d'une lumineuse clarté.

La Mère Blanc est aujourd'hui L'Espace Blanc. Une oasis pour fourchetteux actifs ; un

Georges Blanc et ses deux fils. A droite, Frédéric, chef de L'Ancienne Auberge, place du Marché, à Vonnas.

Le chef patron Georges Blanc, ardent propagateur des volailles de Bresse.

lieu culturel, dit Georges Blanc, né du succès mondial du trois-étoiles inventé par ce quinqua au visage d'ado, l'héritier de la mémé cordon bleu, et l'amplificateur, le chef d'orchestre de la maison Blanc. Une *success story* à l'américaine, l'histoire d'une ascension vertigineuse vers les sommets sonnants et trébuchants – de 500 000 francs en 1968 à 80 millions de francs de chiffre d'affaires en 1993, plus de cent personnes employées. A quand l'introduction en Bourse ? La mairie de Vonnas – Blanc est déjà conseiller municipal – et le mandat de député ? Où s'arrêtera-t-il ? « Je contrôle tout », dit-il dans son bureau nickel qui ouvre sur la place du village. En face de son Macintosh.

Les mauvaises langues, aigries par la jalousie et le triomphe des autres, évoquent la multinationale Blanc, le *businessman* qui tire plus vite que son ombre, le *moneymaker* de Vonnas, le Crésus de la Bresse – tout cela n'est peut-être que billevesées : le petit Blanc au physique de gamin est devenu grand et, s'il n'avait pas investi dans ce village perdu du Mâconnais, il n'aurait jamais pu maintenir une cuisine de haut vol, sans cesse en mutation. Au début des années 80, le bar de ligne marinière, le panaché de la mer aux épices et le millefeuille crème à la vanille ont marqué le tournant vers un élargissement de la palette – et ce ne fut qu'un début. Sans public, créativité nulle.

Les étoiles, les toques, les coqs, le queux Blanc ne les a pas obtenus en se reposant sur la tradition des plats de grand-mère, en mettant ses pas dans ceux de ses aïeux ; jamais il ne serait devenu ce qu'il est. Il a su moderniser le berceau et le terroir familiaux en allant de l'avant. Et, progressant depuis la troisième étoile qui date de 1981, mettant en œuvre son tempérament de bâtisseur – trois hôtels à Vonnas (quarante-huit chambres) et le charmant château d'Epeyssoles et sa pièce d'eau où sont prévus des week-ends culturels –, le « môme » Blanc a créé un pôle d'animation au cœur de ce village fleuri, tout entier voué au bonheur des clients.

L'hôtelier Blanc a, l'un d'un premiers, compris la nécessité absolue de l'hébergement des mangeurs. Pas de laisser-aller à table, pas de vraie liberté de boire à la régalade les grands seigneurs blancs de Bourgogne, pas d'ombres noires planant sur les assiettes si le visiteur ne dort pas au-dessus des cuisines, ou en face à la Cour des Fleurs ; vive la sérénité à table, surtout quand on est venu pour la fête de la gueule, et l'ivresse de la bouche ! Le petit Blanc, le provincial bressan, a bien senti le destin présent des grands chefs de la France profonde, hors des villes. Les fidèles des étapes de rêve redoutent les effets des phénols des Montrachet et autres Chambertin ; c'est pourquoi le constructeur Blanc n'a cessé d'accroître son patrimoine immobilier, et de parfaire sa vocation d'hôtelier de campagne – de luxe.

« Passer la nuit à Vonnas ajoute du plaisir au repas », note l'observateur Blanc.

Les visiteurs se baladent dans le village, longent la Veyle, vont au musée des attelages, goûtent du vin à la cave, achètent des saucissons, du pâté, un souvenir ; ils retrouvent une sorte de *carpe diem*, de jouissance simple du moment qui va bien au-delà des joies furtives de la table. Se régaler les papilles n'est pas suffisant pour l'aubergiste *new-look*, il faut donner plus, offrir des moments inattendus – et des flâneries. Voit-on que Georges Blanc n'est pas un tiroir-caisse qui pense, mais qu'il a une âme ? Et qu'il prolonge en cela l'œuvre de son seul maître, Alain Chapel ?

Des appartements à des prix salés jouxtent des chambres modestes à la Résidence des Saules pour les gueulards moins fortunés qui occupent les salles à manger nickel de l'Auberge de la Mère Blanc (en face) où le fils de Georges, le discret Frédéric, envoie les plats du début du siècle tels que les huppés de la contrée les souhaitent, la crème mouillant la cuisse de poulet, et le gratin de cardons à la moelle ; démocrate, Citizen Blanc ne travaille pas que pour les choyés du jet-set, ces femmes un peu trop belles et ces messieurs tirés à quatre épingles, venus en hélicoptère s'enca-

Le plantureux petit déjeuner et, dans la cave, soixante-dix mille bouteilles, dont le Mâcon-Azé produit par Georges Blanc.

L'épouse, Jacqueline Blanc, qui a secondé son mari dans l'ascension du complexe hôtelier de Vonnas.

Deux premiers plats de Georges Blanc ; la pomme d'amour, aux grenouilles à l'épice et le marbré de foie gras aux artichauts et truffes.

nailler chez les pontes des Relais et Châteaux, il faut aussi se soucier des Bressans, des gens du coin, des Parisiens venus en TGV pour qui la bonne chère ne signifie pas la saignée du portefeuille. Et Blanc, sur ce point – le mélange des gâtés et des modestes –, paraît avoir réussi son pari. Y a-t-il une auberge de campagne aussi pimpante que celle de Frédéric Blanc et de son épouse ? N'est-on pas aussi allègre de s'attabler là qu'en face, dans les salles à manger pour nantis ?

Les envieux dauberont sur le petit Blanc, chef de cuisine comblé, arguant que le président-directeur général de la multinationale ne touche plus jamais la queue d'une poêle. Que non, l'homme en blanc se défend d'avoir oublié cuissons et assaisonnements, mitonnages et épluchages. Mieux, il se soucie chaque jour de l'évolution de sa cuisine, et des menus ; on aurait tort de croire qu'il a renoncé à toute créativité. Il est porté par sa brigade, il est stimulé par ses assistants et il veut susciter l'admiration des personnels qui l'entourent. « Je suis un obsédé du beau et du bon », dit-il sans forfanterie. Naïf ? Il veut donner pour recevoir : qui penserait le contraire ? Et qui nierait qu'il faut de la vertu, et une certaine éthique, pour faire la course en tête dans la grande restauration française ?

La mode à table ? La sophistication, les plats « couleurs et saveurs » ? La cuisine kit ? Les recettes dans le vent ? Tout cela, il s'en méfie. « Plus on sophistique, plus on dilue les goûts », indique-t-il après avoir réfléchi aux mignardises du dessert.

Vivez le moment Blanc. La grande salle à manger à la fois rustique et noble, la rivière et sa population de nénuphars, les tapisseries, les miroirs anciens, la cheminée, les lumières et l'animation du « personnel qui doit apprendre quelque chose aux visiteurs » – oui, il y a là un climat de gourmandise contemporaine chez ce garçon d'allure timide qui en veut. La qualité commence dans l'assiette, mais elle se prolonge par l'environnement, le village, le terroir, et ces éléments se valorisent entre eux, souligne le restaurateur hôtelier dont la famille remonte à 1751 – la France de la féodalité. Georges Blanc et sa femme Jacqueline aiment Vonnas. Ils ont bien raison, Vonnas est un écrin. Les soucis de préservation du site campagnard frappent l'œil. C'est une ville d'eaux en réduction. « Seul le meilleur est assez bon », souffle-t-il en goûtant son Mâcon-Azé 90 – pas moins de 150 000 cols par an. Capitaliste, le petit-fils ? Sûrement. Et alors ? Cela exclut-il le charisme et le savoir-faire ?

Blanquette de grenouilles aux truffes
Composition de morilles farcies, d'asperges et de homard
Pigeon de Bresse rosé, sauce au foie gras
Nougatine au chocolat, crème pistache

*

Mâcon-Azé d'Avenay 90
Bâtard-Montrachet Fontaine 86
Chambolle-Musigny R. Groffier 86

Stammhaus

SCHWARZWALDSTUBE

Le bonheur à l'allemande

Pour Jean-Pierre Haeberlin

En pleine Forêt-Noire, au cœur des vertes allées du Wurtemberg, au pied des sommets enneigés l'hiver, la famille Finkbeiner a édifié un complexe hôtelier haut de gamme dont le porte-étendard est un restaurant français, le Schwarzwaldstube, couronné en mars 1993 par la troisième étoile Michelin. Ni le chef allemand ni l'établissement n'étaient connus des obsédés de la gueule. Voilà une adresse sans rapport évident avec la cohorte des trois-étoiles d'Europe. Le restaurant surcossu n'est qu'une pièce du puzzle de loisirs multiples offerts par l'hôtel Traube Tonbach, un « plus » pour les vacanciers aisés qui envahissent cet ensemble géant, voué à la belle vie à l'allemande.

Imaginez à flanc de coteaux un bloc de trois établissements, deux cent cinquante chambres tout confort, deux cent cinquante employés et tout ce qu'il faut pour distraire, amuser, épater la clientèle bon enfant mais fortunée qui en veut pour son pesant de marks. Et rien n'est donné, croyez-moi.

Ah, la profusion de loisirs et d'animations, le ski en hiver, la piscine d'eau chaude au milieu des neiges, les balades en calèche, les pique-niques dans la forêt, les jeux de société, la danse, les concerts, les défilés de mode, les tennis couverts et en plein air, la balnéothérapie, le body-building, les bains jacuzzi et *tutti quanti* – un seul mot d'ordre, occuper les résidents. La contemplation des pins, de la nature et du manteau blanc, le farniente l'été, la cheminée l'hiver ne suffisent pas. La table non plus. Toujours plus. Ainsi le Traube Tonbach se présente comme une sorte de croisement du Club Méditerranée pour bourgeois assis et d'un Relais et Château « gold ». Le symbole sonnant et trébuchant du miracle allemand vu du côté des vacances actives.

La famille Finkbeiner, propriétaire de l'ensemble hôtelier de Forêt-Noire.

Il faut bien le reconnaître, même si notre amour-propre doit en prendre un coup, Citizen Blanc à Vonnas est battu par plus fort que lui : 95 % de taux d'occupation, un record en Europe, et pas une place pour le thé-pâtisseries dans les incroyables salles à manger bourrées de boiseries, le dimanche. Ici, dans

Lourdes boiseries, personnel en uniforme : la rigueur du service à l'allemande.

cette île verte du Wurtemberg dominée par le Traube Tonbach, le voiturier et le groom en tenue sont dépassés. Les propriétaires sont fiers de vous proposer la compagnie du garde forestier et l'usage de la chapelle pour les mariages. On trouve tout, au Traube Tonbach.

Médusé, vous le serez par l'éventail des choses à faire afin de conjurer l'ennui – beaucoup de Strasbourgeois de la haute viennent s'offrir un peu de bon temps dans l'anonymat germanique. A l'écart des yeux indiscrets.

Deux restaurants, quatre étoiles dans le Michelin, comme chez Jean-Claude Bourgueil à Düsseldorf. Ici règne le perfectionnisme à l'allemande, la rigueur et la bonne humeur. Et comme les étoiles Michelin, le tremplin rêvé, sont pensées à la manière d'un challenge, on veut mettre tous les atouts de son côté, et tout faire pour décrocher les médailles en forme de macaron inventées par les voisins français. Le Michelin ou la référence absolue. Rien au-delà.

Heiner Finkbeiner, une allure de *gentleman* strict dans le style Vrinat, costume gris, cravate de bon faiseur, aisance naturelle, a vécu la remise de la troisième étoile comme l'extrême récompense pour toute une dynastie.

A l'origine, en 1789, une modeste auberge, une grange de bois de pin où l'aïeul Finkbeiner faisait les miches. L'histoire dit même qu'il suivit les armées de Napoléon dans son gymkhana en Europe ; c'est de ces racines vivifiantes que la famille Finkbeiner tient son goût de la France, de la langue de Voltaire et de la cuisine hexagonale. La mère de Heiner, patron aujourd'hui, fut une vestale des fourneaux, et le fils tâta lui-même du chinois et de la salamandre. D'où la carte des mets créée par un jeune chef de trente-sept ans, Harald Wohlfahrt, beau garçon brun, émule de fameux maîtres cuisiniers français.

Il faut louer Heiner Finkbeiner et son queux d'avoir rédigé la nomenclature des plats en français, ce qui est devenu rare si on compare avec les cartes du début du siècle (l'influence Escoffier), même si l'échalote a deux « t », et aussi pour l'abondance des sauces proches de la performance culinaire. Touchante, la répétition des formulations gourmandes, comme l'emploi de l'adverbe « sur » pour bien démontrer la complexité des plats. Exemples : salade de saint-jacques sur lit de mijotés (?) et d'artichauts crus « pistouvinaigrette », roulade de turbot farcie aux langoustines sur sauce champagne, salmis de pigeon et foie d'oie poêlé sur sauce aux truffes, feuilles d'amandes farcies, glace caramel sur filet de mangues...

Qu'est-ce qu'un mijoté ? Mystère. Le risotto est safrané, plat mode s'il en est, et le caviar fréquemment employé – le jet-set allemand affectionne les plats rupins. Ah, ce n'est pas ici, dans cet îlot protégé, hérissé de Mercedes et de BMW que l'on préférera le cabillaud au bar, ainsi que l'a fait le Club des Cent chez Maxim's. Ni les coques et les calamars, ou la morue comme chez Robuchon...

Il faut dire que, hors de France, les produits nobles et chers sont une nécessité pour s'af-

Le chef Harald Wohlfahrt, le dernier trois-étoiles d'Allemagne.

firmer, Michelin oblige. Les sardines à la Gagnaire, les tripes panées de Marc Haeberlin, la bonite de Michel Guérard font peur. Les queux étrangers étoilés du Michelin excluent la cuisine de bonne femme. C'est bien ce qui navre Robert Courtine, Christian Millau et Jean-François Revel pour qui le savoir-faire du vrai cuisinier doit s'appliquer à tous les cadeaux de la nature et de la mer. Sans un souffle d'imagination, pas d'élan. La grande cuisine peut n'être que répétition de refrains. Hélas !

Plus le produit est commun, la lisette, le merlan, l'épinard, plus la créativité et la technique du queux entrent en jeu. Voir la purée, la salade, le croque-monsieur du maître Robuchon, et les escargots de Bernard Loiseau.

Parvenu au Traube Tonbach, le gourmet peut-il s'étonner de tomber sur le loup de mer et ses légumes à la provençale, coulis de tomate, en pleine Forêt-Noire ? Si loin des vagues, du grand bleu ? Et une crème d'oursins aux coquillages – le tout en provenance de Rungis ? Est-ce rétrograde, antimoderne, de noter ces incongruités ?

L'esturgeon peuplait le Rhin, jadis. Et les bécasses, les plaines et la forêt aux pins sombres. Les voici sur la carte de Wohlfahrt, bon élève.

Le destin de la grande cuisine est-il l'uniformité ? Les mêmes plats de sang bleu – le saint-pierre aux truffes, le turbot aux langoustines, l'agneau aux cèpes – figurent sur toutes les grandes tables du globe. Oui, les produits voyagent sans problème. D'accord. Mais les recettes du terroir pâtissent de l'hégémonie des beaux poissons et des coquillages, des viandes d'appellation et des gibiers de luxe. Veut-on en Allemagne de l'oie à la choucroute ? Et des charcuteries travaillées, pâtés et oreillers, coussins et gâteau de porc ? Ce n'est pas dans les plus fameux étoilés qu'on les trouvera. A qui la faute ? Michelin ou la tentation jivaro : on supprime tout ce qui n'est pas précieux et cher.

Au cœur de ce club pour gâtés de la vie, dans cette vallée modelée pour le bonheur, le fort en thème Harald Wohlfahrt envoie une vingtaine de plats – dont trois potages, l'un à l'essence d'agneau – avec une rigueur exemplaire. Des assiettes sans reproche, et la terrine de pigeon au foie gras d'une netteté parfaite, la soie d'une mousse fine étalée sur une brioche tendre et blonde, une gâterie réellement inoubliable.

Dans cet amphithéâtre de verdure, installé à l'une des tables de bois massif, plafonds lourds, décor rustique chic, quelque trente-cinq couverts par service, pas plus, vous vivrez un moment de bonne gourmandise, rehaussé par l'excellence du personnel français et par les vins blancs allemands dont les plus harmonieux talonnent les Alsace bien nés.

De Strasbourg, une petite heure de route en direction d'Offenburg puis la montée en lacet vers les hauteurs où la brume enveloppe les pins. Si on ne passe pas quelques jours de vacances à l'hôtel Traube Tonbach pour profiter de ses multiples dépendances, le mieux est d'aller déjeuner au Schwarzwaldstube et d'y couler quelques heures de *carpe diem*. Le dépaysement s'ajoutera aux plaisirs de bouche.

Terrine de pigeon au foie gras
Raviolis aux morilles et ris de veau
Homard breton, ses artichauts sauce corail
Variation de chocolat

*

Bâtard Pinot Querciabella 89
Pomerol Vieux-Château-Certan 83
Sasbacher Eiswein Bercher 89

IM SCHIFFCHEN

Jean-Claude Bourgueil
Un queux en exil

Pour
Jean Carmet

Le Rhin coule au bout de la rue. Le voiturier est costumé en amiral. A la porte de cet ancien bistrot de mariniers, on tire la sonnette pour entrer chez les Bourgueil, un couple de Français de la Loire exilé dans la banlieue chic de Düsseldorf, à Kaiserswerth, chez « Jean-Claude » ainsi que le stipule la carte des mets sur velin d'Arche du restaurant Im Schiffchen, le petit bateau, une maison de bouche tout en hauteur, à deux pas de l'Octroi – le domaine ancestral des bateliers rhénans.

Ah ! l'étrange destin que celui de Jean-Claude Bourgueil, parti de la Touraine de Balzac pour jouer les pionniers de la grande cuisine française dans la capitale du Wurtemberg, Düsseldorf ; toute sa vie, ce Français pur jus a milité pour la haute gastronomie, pour la noblesse des produits et des mets. Il y a du Jacques Manière chez ce terrien déplacé outre-Rhin. Un obstiné perfectionniste au physique d'haltérophile.

Quel parcours sans faute pour ce fils de maçon de Sainte-Maure-de-Touraine, happé par les mirages de la poêle et de la gueule, à la sortie de l'adolescence ! Pourquoi l'Allemagne ? Pourquoi cette fuite, loin de la mère et des cinq frères et sœurs ? Quelques années d'apprentissage dans son village, et hop, le grand départ. Comme la tradition l'imposait dans la France paysanne de la IIIe République, des deux cents familles et des mineurs de fond, le cadet de la famille était curé ou cuisinier. D'office la soutane ou la toque. Le ciboire ou le fourneau à charbon. La spiritualité chrétienne ou le feu et la sauce pour régaler les ventres mous. Vivre en donnant à manger à plus riche que soi. Survivre.

Par chance, le dieu des assiettes a touché de sa baguette ce gaillard trapu au crâne chauve, au visage jovial, massif d'allure, le corps laissant deviner le courage, la ténacité, l'opiniâtreté d'un chef patron bien dans ses chaussures – un *self-made man* qui en a bavé. Il l'avoue sans fausse modestie. Son restaurant des faubourgs de Düsseldorf, façon Saint-Cloud, a manqué de brûler à trois reprises ; le maître d'hôtel, Yves Guyot, queue-de-pie et distinction aristocratique, a sauvé les meubles de justesse, la dernière fois. La belle cuisine, les compositions savantes n'ont pas eu de racine dans l'Allemagne de Goethe. Il a fallu s'accrocher, courber l'échine. Subir. Et Bourgueil d'évoquer les menaces de saisie des huissiers,

Une maison de bouche dans la banlieue chic de Düsseldorf.

La brigade de cuisine de Jean-Claude Bourgueil : treize professionnels, dont deux jeunes femmes.

Dans les couloirs de la cave voûtée, le sommelier français Sébastien Visentin, fin connaisseur des vins de Loire.

et le combat quotidien pour avoir la chance de transformer de nobles produits.

« J'envie mes collègues français qui disposent sans problème de la matière première », avoue-t-il à la fin du service du soir – il n'y a pas de déjeuner à Im Schiffchen. « Ils n'ont qu'à téléphoner pour avoir les belles langoustines, le bar, les grosses soles, le saint-pierre, la lotte, les coquillages. Malheureux que je suis, je dois me débrouiller comme je peux, et me faire expédier tout ou presque. Rien n'est facile pour la grande cuisine en Allemagne. »

Et le queux se souvient. De ses débuts en 1970, de ses premiers plats dans la cuisine du Hilton tout neuf de Düsseldorf où le gavroche du Jardin de la France, l'ex-gâte-sauce de Sainte-Maure avait atterri, ayant préféré le chemin de l'aventure, l'inconnu, les nuits à la belle étoile au confort bien carré des brigades de restaurant de province. Singulière coïncidence, la soupe dorée au pain perdu de son enfance, touillée par maman, il la fera à Düsseldorf à la brioche mouillée de lait et de rhum. Un régal offert au rez-de-chaussée d'Im Schiffchen, lieu d'origine du restaurant où le *Franzose* Bourgueil prépare des plats du folklore germanique, harengs farcis, poissons en choucroute mouillée de Riesling, pigeon au chou, cerises chaudes glace vanille et la bière à col mousseux pour la soif.

A quelques mètres des rives du Rhin, dans ce troquet du début du XVIIIe siècle (créé en 1733), le bûcheur Bourgueil et sa brune épouse règnent sur deux établissements – quatre étoiles Michelin en tout, incroyable mais vrai. Le bistrot rustique du rez-de-chaussée a reçu son étoile macaron, et, au premier, l'élégante salle à manger de boiseries blondes, de tables rondes et de moquette verte a été récompensée par la triple couronne en 1987, soit dix années après l'installation du Français au 9 Kaiserswerthermarkt, un lieu de mémoire pour le peuple de Düsseldorf, le blason sur la belle porte en témoigne.

Quand on écoute l'ami Bourgueil, admirateur de Chapel et de Guérard, des maîtres dans la campagne profonde, celle que décrit Emmanuel Le Roy-Ladurie, celle qu'ont révélée les pinceaux de Le Nain, quand on refait par la pensée cet itinéraire allemand, on mesure le courage de l'homme, un queux de la trempe de Raymond Oliver – à qui rien n'était impossible. Des hommes de défi qui sont allés plus loin que les autres – au bout de leurs possibilités. Grâce à un talent sans égal. Le râblé Bourgueil est une sorte de héros de la grande cuisine française. Un héraut, aussi. Qu'on en juge.

Voici un quart de siècle, l'Allemagne fédérale était en plein redressement. Le chancelier Adenauer a incarné le sursaut après les affres de la défaite. Du côté des nourritures terrestres, de la créativité culinaire, le néant. Un pays sous-développé, note Jean-Claude Bourgueil qui était chef saucier au San Francisco, le

restaurant américain du Hilton. En dehors des frites et des poissons de la mer du Nord, le hareng de la Baltique en tête, point de salut. Au chapitre des manières de table, c'était l'Allemagne degré zéro de la civilisation. La fondue bourguignonne émigrée outre-Rhin, on ne sait pourquoi, les Allemands la mangeaient crue, ignorant qu'ils devaient tremper les morceaux de bœuf dans l'huile... Des nains. Dans les restaurants à la mode, le homard sans origine avouée était cuit la veille pour le lendemain, trempé dans du cumin, comme les patates, et servi en salade, bien filandreux... C'était le Moyen Age du savoir-manger.

Il n'y avait pas un seul restaurant étoilé au Michelin. « C'était l'Angola », se souvient l'émigré Bourgueil, le plus savant de toute la brigade du Hilton.

En 1972, première étoile pour le Français de Touraine. Trois ans plus tard, il a repris un restaurant de Düsseldorf, abandonné par un chef parti en Bavière, et c'est la deuxième étoile. Une date dans l'histoire de la table germanique. Les débuts de la gloire. Tandis qu'Eckart Witzigmann au Tantris de Munich parvient au même niveau de qualité – et avec quels problèmes d'approvisionnements. Le calvaire.

Des boiseries blondes dans la salle à manger.

Expédiés de Paris, le foie gras en lobe, les volailles de Bresse, les poissons de petit bateau sont méticuleusement inspectés. Ignorance des gabelous qui laissent passer la marchandise... Des règlements d'importation rigoureux. Des aliments pour chiens ? C'est Kafka chez le père Ubu. « L'affaire des vins autrichiens blancs liquoreux, parfumés à l'antigel, a été fort révélatrice, note Bourgueil. Les inspecteurs des Fraudes recherchaient les degrés en sucre. La réglementation, c'est tout. Les charges de l'antigel ne figuraient pas dans la grille... »

En 1977, Jean-Claude Bourgueil réinvente Im Schiffchen. Il repart de zéro. Il est seul aux commandes, aidé de quatre personnes. Le plus petit effectif pour la meilleure qualité possible. En une décennie, il se hisse au premier rang des restaurateurs, le besogneux sort des plats de rêve. D'un classicisme strict. Le foie gras aux lamelles de truffe en terrine, l'agneau rosé à la sarriette. Ce qui n'empêche pas les innovations comme le homard nappé d'une sauce diaphane à la camomille façon Senderens, et, un cran au-dessus, cette composition de légumes dans un bouillon d'ail sauvage et un ragoût d'escargots que ne renieraient pas Jean-Michel Lorain, Michel Troisgros et Michel Guérard.

Dans l'Allemagne du boom économique, tout va changer, les gourmets d'outre-Rhin voyagent, voient du pays et s'ouvrent à la cuisine d'art. Les jeunes cadres aux bras de sculpturales Allemandes se flattent d'avoir testé les plats de Bocuse – star de la télé à Berlin –, le loup à l'huile d'olive de Roger Vergé à Mougins, sans parler des grandes tables de la capitale. Pas de vraie gourmandise sans culture vécue, un principe universel. Les gourmets d'aujourd'hui ont l'âme vagabonde.

La carte d'Im Schiffchen change quatre fois par an, car Jean-Claude Bourgueil redoute de s'ennuyer au piano. Sa cuisine lui ressemble, solide, issue du terroir comme l'agneau des Pyrénées, sans rodomontades ni parures de fantaisie. Le queux connaît son public de gourmets fortunés qui font de la sortie à Kaiserswerth une orgie de la gueule qui débute à 19 heures pour s'achever au-delà de minuit. Le personnel français, dont l'excellent sommelier

Les casseroles de cuivre et le piano ultramoderne en cuisine.

Sébastien Visentin, est aux petits soins, et le directeur de salle salué comme un notable. Une certaine fierté à les voir servir les mangeurs de l'endroit.

Tous les vins sont dégustés à l'aveugle par région et appellation. Et ordonnés sur la carte par propriétaires pour les bourgognes – Faiveley et ses Chambertin en tête. Le Tourangeau Bourgueil défend les vins de sa région, le Sancerre de M. Pellé, le Gamay et le Sauvignon d'Henry Marionnet – et les grands champagnes de France, les cuvées spéciales en priorité.

A côté des maisons puissantes à l'export comme Moët, Clicquot, Deutz, Bourgueil retient Billecart Salmon et une cuvée composée pour lui par Gaston Chiquet à Dizy, au cœur de la côte des blancs ; elle sort très bien à l'aveugle en face des grandes.

Nostalgie de la France ? Désir de revoir la mère patrie, le village des premiers pas, l'air de Touraine ? Le paysan Bourgueil a tellement marné pour faire son trou – et sa notoriété – à Düsseldorf qu'il ne songe pas à tout recommencer en France. Tant pis pour le ciel de Sainte-Maure. Voici venu le temps des illusions perdues que Balzac écrivit à Loché, pas si loin de la maison des Bourgueil... Ses enfants parlent si bien l'allemand... Il voit bien qu'il demeure le messager d'une certaine France du bien-vivre – c'est pourquoi l'on peut regretter que les plats ne soient pas libellés – aussi – en français, la langue de Carême, d'Escoffier. Et de Ronsard.

Terrine de foie d'oie aux truffes
Homard poché à la vapeur de camomille
Composition de légumes, bouillon à l'ail
Assiette d'agrumes et sorbets

*

Riesling Eitelsbacher 88
Chardonnay Faiveley 91
Margaux Château La Gurgue 85

DE KARMELIET

Le surdoué de Bruges

Pour Monique Pivot

A l'école communale du village de Pittem, à 25 kilomètres de Bruges, le Flamand Gert Van Hecke déclare à la maîtresse qu'il veut être cuisinier. Il a 12 ans. Sa mère, fille de boulanger, pétrit la pâte, moule des miches rebondies et les cuit dans le four de la famille, tandis que le père dessine puis fabrique des meubles sur mesures.

Dans la cour-jardin de la maison courent les volailles de ferme et les poulets dodus que Gert en culotte courte mitonne aux chicons. Ainsi naissent les vocations de fin cuisinier.

Dès l'enfance, ce garçon au regard clair s'est pénétré de l'amertume des chicons, le légume cardinal de la Belgique, dont il deviendra le sorcier – ainsi que de la truffe, mais ce sera plus tard, quand il deviendra à Bruges l'archiprêtre en toque du restaurant De Karmeliet, trois étoiles en 1996, l'égal des stars belges, Wynants, Bruneau, Souvereyns et Romeyer, le Bocuse du Nord qui n'a jamais démérité.

A 16 ans, à la sortie du collège, Gert intègre l'école hôtelière et passe des vacances studieuses comme plongeur dans un village savoyard. Trois années de suite, de 6 heures du matin à minuit, il lave, brosse, récure le matériel, taille les légumes et apprend le français. Sans broncher. Il a toujours vécu dans les vapeurs de cuisine et ne songe pas à s'en plaindre. Il a deviné que sa vie se tisserait entre les fours à charbon (puis à air pulsé), les frigos et les plaques fumantes. Et l'initiation ?

« Le premier grand restaurant où j'ai mis les pieds sous la table, c'est Troisgros à Roanne ; j'avais 20 ans, j'étais commis à la Villa Lorraine à Bruxelles, raconte Gert Van Hecke. De là, avec mon père, nous sommes allés chez Georges Blanc, à Vonnas, deux étoiles, puis à l'Hôtel de la Poste à Avallon, mais c'est chez Alain Chapel, à Mionnay, que j'ai eu le déclic. Le choc. J'ai écrit trois fois au chef patron pour un poste en cuisine. C'est grâce au regretté père Noterdam, de l'école hôtelière des environs de Bruxelles, que j'ai pu entrer dans la brigade de Chapel, comme garde-manger. C'était en 1976, et vous savez combien il était difficile de se faire accepter dans un grand établissement français doublement étoilé. »

Aux côtés de Guy Gâteau, chef de Mionnay, puis de Maurice Lacharme, chef à la mort d'Alain Chapel, Gert Van Hecke, après un détour par Dodin-Bouffant, restera deux ans dans la cuisine-villa (dixit Alain Chapel) des Dombes. Comme ses disciples Alain Ducasse, Philippe Jousse, Frédéric Vardon (chez Ducasse), le Belge de Bruges, expert en terrines et abats façon lyonnaise, sera marqué à vie par le style, la rigueur, le goût de la perfec-

C'est l'ancien hôtel des Impôts que Gert Van Ecke a métamorphosé en restaurant.

Gert Van Ecke, le Falstaff de Bruges, trois étoiles en 1996.

Gert et son épouse, qui règne en salle, dans le jardin d'hiver.

tion développés, instillés aux commis et chefs de partie de Mionnay. En premier lieu l'exigence du produit, la recherche de grenouilles vivantes, de grosses langoustines de Bretagne, de turbots épais de 6 à 9 kilos, de bars de ligne et de veaux élevés sous la mère. Cela paraît aller de soi. Erreur. La dégradation générale des produits de la terre et de la mer, l'industrialisation massive de l'élevage des viandes et des poissons (aquaculture) et la désertification des campagnes altèrent la gestuelle du cuisinier professionnel, et compliquent la transformation des éléments de base. Exemple cardinal : le veau gorgé d'eau, et l'escalope muée en semelle !

A 26 ans, installé à Bruges, le blond Gert, au ventre rond comme celui de Pierre Troisgros, va vivre quotidiennement l'obsession du bon produit ; où sont les vrais poissons de ligne ? Car l'homme a tâté de la grande cuisine, et il a chopé le virus. Aux côtés du chef Bernard à Bruxelles, expert en belons au champagne, dans l'ombre de Fredy Van de Casserie à la Villa Lorraine, il est passé de l'autre côté du miroir, jouant des secrets dévoilés.

Quand à Mionnay, dans l'auberge chère à Utrillo, on a mitonné pendant vingt-quatre mois les navets noirs et le foie chaud, la rouelle de langouste et le feuilleté d'asperges au foie gras, la poularde Albufera, on est mûr pour sortir sa partition. Se confronter aux salsifis, à la pomme de terre belge (admirable crème chaude de patate) et à l'art de la gelée. L'élève poussé, dopé, motivé par le message des maîtres.

Dans une rue du vieux Bruges, il investit les dépendances d'un couvent de Carmélites, une masure de nonnes, qu'il arrange en gentille maison de bouche à la flamande. Gert voit petit car il ne roule pas sur l'or – trois employés en tout. Un mouchoir de poche d'où il expédie la goûteuse salade de chicons à l'huile d'arachide et jus de pommes vertes, escortée d'un suprême de poularde de ferme fumée et de langoustines au Guilvinec rôties – on aura remarqué la longue formulation, façon Chapel, d'extrême clarté. De la transparence dans la nomenclature des plats.

Ouvert en 1983, De Karmeliet décroche une première étoile deux ans plus tard. Le rond Gert se réjouit, en dépit des fluctuations minantes de la fréquentation. « Pas un chat pendant plusieurs jours, la poubelle remplie des trouvailles du marché de Bruxelles, se souvient-il. Par chance, les repas du week-end nous ont permis de tenir bon. » Handicap de taille, Gert n'est pas un Brugeois pur houblon, il n'est qu'un banlieusard de la Venise du Nord. Il s'agit de se faire reconnaître par les citoyens locaux reclus sur leur clan. Par

Asperges et morilles de printemps.

chance, la deuxième étoile ne tardera guère, en 1989.

Avec le temps, le toqué des Carmélites – qui n'est pas croyant – va réussir à forger un noyau de gueulards, d'une fidélité remarquable. D'abord les Français du Nord, les fins becs de Calais qui n'ont aucune grande adresse gourmande dans le plat pays, des Parisiens en cohorte, et les Allemands qui savent, désormais, ce que boire et manger savoureux veut dire.

Le saut dans l'inconnu, le doux Van Hecke l'accomplira en 1990, avec l'acquisition d'une vaste bâtisse brugeoise, ancienne demeure d'un baron fortuné, métamorphosée en hôtel des impôts, désaffectée depuis des lustres. De l'espace, du volume, trois salles à manger, un jardin d'hiver, le confort d'une noble adresse. Comment envoyer des assiettes d'une savante complexité dans un couloir ? Et puis la haute cuisine réclame des aises pour le client qu'il s'agit de combler.

Le temps n'est plus à la prospérité des ténors de la casserole. Expérimenté, connaisseur, le client ne doit jamais être déçu. Il ne pardonne plus rien.

Les Flamandes dansent sans plaisir, chante Brel. Les Flamands mangent avec la joie au cœur. Le chef patron barbu, court sur pattes, bosseur comme Passard (Arpège) ou Pacaud (L'Ambroisie), le doux Gert est de la race des cuisiniers de l'invention, qui signent une cuisine d'auteur. Des influences extérieures ? Certes. Du travail de dentelle culinaire, oui. Le gastronomade Pudlowski dit que c'est le Gagnaire belge, l'as de la chinoiserie sucrée-salée. C'est une façon de juger l'assiette.

Le gourmet aura intérêt à s'orienter vers l'un des deux menus à trois plats, habilement ordonnés par le bon Gert – et d'un rapport prix/plaisir imbattable au pays du peintre Delvaux. Dans la carte des vins, axée sur les crus et vignerons cotés, tous les musts d'une cave de vrai œnophile.

Le voyage à Bruges s'impose, hiver comme été. La bonne adresse pour le logement : Die Swaene, charmant hôtel sur les canaux à deux minutes de Die Karmeliet, et doté d'une table de haut vol.

Personnel et service de grande maison : une étape de pur bonheur.

Trois plats aux huîtres et oursins
Tuile au vieux gruyère et cumin, saint-jacques rôties
Blanc de poireaux et lentins au jus de lapin
Entrecôte de veau de lait passée à la chapelure de jambon, chartreuse de saucisson et ris de veau
Bouillon de pommes de terre à l'échalote

*

Cuvée René Lalou 1985
Pernand-Vergelesses blanc (Chandon)
Volnay Taillepieds 1986 (Angerville)
Banyuls vieilles vignes 1975 (Parcé)

JEAN-PIERRE BRUNEAU

L'esthète des saveurs

Pour Jacques Kother

« Quand je me suis installé à Bruxelles en mars 1975, la grande cuisine appréciée des Belges en était encore au turbot, au steak au poivre et aux sauces Dugléré. Je peux dire que j'ai introduit les légumes dans les préparations. Le poireau, pour les Belges, c'était une innovation de taille. Je faisais la lotte aux poireaux. A l'époque des mousselines de pommes, j'ai concocté la mousseline de bar au caviar et la mousseline de foies blonds. Le foie chaud n'existait pas. Je le préparais aux chicons confits. Idem pour la mousse au café, une découverte. »

Enfant de Namur, fils d'officier, Jean-Pierre Bruneau, grand gaillard élancé, chaleureux et affable, sort de la cuisine et se confie aux gourmets. Impeccable dans sa tenue blanche de laborantin des émulsions fines, expert en caviar et en jus de moules – la jovialité mesurée de Jean Troisgros qui fut son maître. A l'ombre de l'imposante basilique de Bruxelles, Bruneau avoue sa condition d'autodidacte de la grande cuisine, plus inventif que suiveur, plus créateur que traditionaliste. Les mangeurs d'outre-Quiévrain placent très haut ce quinquagénaire au sourire discret dans la hiérarchie des queux. Un surdoué ? Le magazine très sérieux *Week-end l'Express* a classé Bruneau au deuxième rang des ténors des fourneaux, derrière le leader incontesté Pierre Wynants. Une sacrée performance conquise à force de travail et de ténacité, car Jean-Pierre Bruneau est parti de rien. Son cursus culinaire ne brille point. Nul séjour chez les pontes archi-célèbres, archimandrites de la poêle ou concepteurs de canailleries savoureuses. Nul diplôme ronflant et pas d'antécédents familiaux qui mettent le pied à l'étrier. Bruneau, l'individualiste, seul auteur de sa palette de réjouissances salées et sucrées. Et Dieu que le gourmet sera surpris par le savoir-faire de ce praticien bien sous tous rapports !

Jean-Pierre Bruneau devant son restaurant. Il collectionne les voitures ; ici, une Jaguar E.

Seules étapes marquantes de son tour de France de la gueule, le Chapeau rouge à Feurs, ex-deux-étoiles Michelin, et Mme Depée mère aux fourneaux des Bézards. Un court passage

Le chef escorté de sa brigade.

Un cadre ultramoderniste, un personnel jeune, et Mme Bruneau (page de droite), qui veille à l'harmonie des deux équipes, salle et cuisine.

chez Troisgros, titulaire d'une seule étoile – c'était l'époque des cuisses de grenouilles, des écrevisses pattes rouges et du pâté de grives au genièvre – le paradis.

« J'ai toujours dérangé tout le monde », lance de sa voix douce ce chef patron à la carrure de demi de mêlée.

De fait, installé en 1975 dans une maison bourgeoise de l'avenue Broustin, en vingt ans de passion pour les fourneaux, Jean-Pierre Bruneau a bousculé à sa façon le vieil édifice culinaire de la Belgique gourmande. A côté de ses premiers plats déjà cités, il compose sa chartreuse de pigeon, le filet de râble de lièvre grillé, le suprême de faisan aux truffes blanches – il est le premier ténor à utiliser le mythique champignon d'Italie.

De même, il innovera en donnant à ses clients de belles tartines de caviar sur le filet de bar, et presque autant sur le carpaccio de langoustines, où les grains noirs se détachent sur la chair translucide du crustacé. Songez que ce queux généreux passe cent cinquante kilos de caviar par an ! « Donner le meilleur aux gens qui nous ont choisis, et qui attendent de vraies joies du repas dont ils rêvent. »

La salade de homard aux pommes vertes – un classique – est relevée par une émulsion de curry, car Bruneau s'attache aux ingrédients de goût net afin de rehausser les garnitures. Et de conférer à l'assiette de l'élan. De la vivacité en bouche, du mordant, façon Troisgros.

Ainsi, le dos de barbue poêlée aux épices est agrémenté d'une vinaigrette de poireaux à la menthe, les raviolis de céleris aux truffes sont baignés d'essences aromatiques – jusqu'au chèvre, qui est grillé au thym et escorté de flamiches chaudes.

Et que dire des trois amuse-bouches parmi les plus délicats jamais goûtés : la terrine de pinces de homard, l'anguille au vert (seul plat belge) et la quenelle d'omble chevalier ? Égaux en créativité aux premières assiettes d'Alain Senderens. Un talent évident.

Le bar, l'entrée, des couleurs pastel qui reposent l'esprit.

L'équilibriste Bruneau est un artiste de la quenelle. Sa poularde demi-deuil – encore les truffes – est parée d'une quenelle de langoustine farcie aux champignons noirs, savante transformation du crustacé, souvenir des brigades où les poissons et coquillages étaient travaillés et les plats décorés. Historiés. Car Bruneau, de piano en garde-manger, s'est forgé un sacré métier.

Le gastronomade à l'humeur légère, venu du Comme chez soi ou de chez Pierre Romeyer, sera saisi par le restaurant Bruneau. Par la façade ultramoderne et l'intérieur avec ses deux salles aux murs nus, comme si vous étiez dans un restaurant japonais. Dépouillement du style, ameublement discret, tables sans objets. L'influence zen. Un exemple de l'architecture contemporaine vue par le décorateur Marco Kadz. Contrebalancée par l'amabilité de l'hôtesse ronde et vive, Claire Bruneau. Et par la douceur du labrador ivoire.

Une carte de mets d'aspect scolaire, les plats les uns derrière les autres sans afféterie. Une sorte de vision puritaine de l'art de manger, du plaisir de la gourmandise, à l'opposé du confort cossu de Romeyer – le puriste Bruneau joue la modestie.

Au premier étage, par l'ascenseur, une cabine spatiale, le décor vous transporte dans le salon d'une maison bourgeoise, canapés, fauteuils, miroirs et une charmante terrasse sur les toits de Bruxelles. Une douzaine de couverts autour d'une table ovale et de superbes assiettes bleutées. Un changement à 180 degrés : l'autre aspect du restaurant Bruneau, que le chef patron ne quitte jamais. Absent, au Japon, Bruneau ferme. Le solitaire Bruneau, habitué à tout faire – même les premiers travaux –, se fie peu à ses seconds. C'est le chef d'orchestre et l'orchestre. L'individualiste.

Deux ans après son installation, première étoile. En 1982, la deuxième. Sept ans plus tard, le pompon aux trois macarons. Quelle vitesse dans l'ascension ! A quoi l'attribuer ? Au métier de l'homme, à ses vingt ans d'expérience dans de multiples restaurants. Et à un talent évident qui a été trop longtemps brimé, émasculé par des plats passe-partout. Bruneau ou la liberté des accords. Quand on a passé des années à mitonner des homards thermidor, des tournedos Rossini, des selles de chevreuil sauce poivrade, on rêve de travailler le homard seul, le foie gras chaud, et le chevreuil pour lui-même. Cuisiner fin, c'est dépouiller le plat.

N'allez pas déduire que le maître Bruneau récuse les *must* de notre mémoire culinaire. Vous lirez sur la carte des classiques de toujours comme le canard de Challans au miel d'acacia et aux navets, et les côtes d'agneau à la mie de pain et aux pommes sarladaises – de quoi rassurer les timides du palais. Gardez un peu de place pour le dessert et l'admirable croustillant au café. Soyez attentif aux maîtres d'hôtel qui vous amuseront en vous proclamant : « Vous recevez maintenant la poêlée de langoustines aux lentilles. » Bien reçu, chef. C'était parfait. Une idée fixe : revenir chez vous. Salut et fraternité.

Carpaccio de langoustines
Salade de homard aux pommes vertes
Poularde aux truffes
Croustillant au café

*

Champagne Charbaut brut
Saint-Aubin Roux 90
Porto Kopke 78

COMME CHEZ SOI

Pierre Wynants, un exemple

En souvenir de Marcel Kreusch

Pierre Wynants, la cinquantaine active, bouillonnant sous l'apparente réserve, est-il le premier cuisinier de Belgique ? Christian Millau l'affirme sans ambages dans la préface de *L'Équilibre gourmand*, un ouvrage de recettes très classiques où l'on peut lire que « le bonheur passe par l'assiette ». En 1939, Curnonsky écrivait que « la cuisine belge était avec la française la première du monde ». Et Robert Courtine, ardent défenseur du bien-manger outre Quiévrain, ajoute : « C'est une cuisine méconnue que les Belges eux-mêmes ne défendent pas assez. » Paradoxal, pour une nation de fieffés mangeurs, passionnés de la table.

Le petit monde des gourmets européens place le Belge barbu du Comme chez soi très haut dans la hiérarchie, un peu comme Joël Robuchon en France, Fredy Girardet en Suisse ou Eckart Witzigmann en Allemagne (Munich).

D'eux vient la lumière. De quelques plats phares qui rassemblent principes, idées et style affirmé. Il y a une mélodie Wynants, perceptible à la simple lecture des menus et de la carte. Comme Joël Robuchon, Fredy Girardet et Alain Ducasse, Pierre Wynants est un maniaque de la perfection. Et un équilibriste des cuissons, des mariages et des saveurs.

Un seul exemple : le bouillon de langouste relevé, élancé par les lentilles, le basilic et l'huile d'olive. Ou encore l'esturgeon épais métamorphosé par la crème de saumon fumé, l'huître chaude et les champignons. Tout tombe bien. C'est net et précis. Le mot « tombée » est wynantsien : la tombée de *witloofs* au Xérès sur les noisettes d'agneau... « Au Comme chez soi, on fait le repas du siècle, écrit le chroniqueur Marc de Champérard, et c'est la perfection. » Très rare.

Le couple Wynants et la belle blonde Laurence, à qui son père a dédié un succulent dessert.

Il n'est pas inutile de rappeler que le grand-père en 1926, puis le père ont ouvert la voie et forgé la réputation du Comme chez soi, doublement étoilé dans les années 70 – c'était le tandem Louis et Pierre Wynants ; la coquette

Le salon aux murs dédicacés, dans le prolongement de la cuisine : une innovation de taille dans un trois-étoiles.

maison de la place Rouppe était alors le rendez-vous des becs fins de Bruxelles, et Dieu que la patrie de l'anguille au vert en produit !

Aucun peuple n'a autant d'affinités naturelles avec la table et ses joies, la bombance et la dive bouteille. Au restaurant, le gourmet belge n'est jamais grincheux, obséquieux, mal luné. L'assiette et le verre le mettent à l'aise, et il n'est pas de chef patron dans l'Europe des queux qui n'ait une secrète tendresse pour les mangeurs belges. Ah, qu'ils sont doués pour le mouvement des papilles – des sensuels de la langue ! Des émotifs de la bouche ! Grâces leur soient rendues.

Après ses humanités gourmandes chez Raymond Oliver, Maixent Coudroy, Georges Michel et Raymond Henrion, inventeur de la mousse de jambon, le bon Pierre a eu toutes les cartes en main pour propulser l'établissement vers le firmament. Et la troisième étoile à lui décernée. Prudent et trop sage, il aurait pu suivre le chemin paternel derrière la sole Cardinal et les filets de sole à la mousseline de Riesling et aux crevettes grises, les mousses diverses (de bécasse, d'anguille), le waterzoï et les gibiers. Après tout, une bonbonnière art déco de trente-cinq couverts, cela se remplit sans forcer sur le talent, dans la capitale de la bouffe du Nord – Bruxelles, une province française, dit Pierre Wynants, de sa voix posée, qui a joué les mainteneurs à sa façon.

Dans son ouvrage précité, le queux fustige la malbouffe, les aliments dénaturés, les préparations insipides et les régimes monotones : « [...] d'où la constatation que, loin d'être incompatibles, gastronomie et diététique possèdent au contraire une plate-forme commune : la recherche d'un équilibre dans l'assemblage des goûts pour l'une, des nutriments pour l'autre. »

Il y a du Guérard au tréfonds du Belge, dans la conception des plats, dans la gestuelle et la légèreté. C'est en cela que le doux Pierre au caractère bien trempé a tenté le pari de la cuisine moderne, s'écartant peu à peu des préparations saucières qui ont tant convenu aux palais belges. Un rien aventurier des mariages : Wynants ou le confort bourgeois banni.

« Il est devenu l'homme du plaisir alimentaire, de la gourmandise raisonnable des bonnes choses », lit-on dans son livre. Et un créateur fécond, un prolifique : songez que la carte change sept fois par an, un record. « Je considère qu'il y a sept saisons pour le cuisinier », indique Wynants, assis dans la salle d'apparat du Comme chez soi ; l'autre salle est attenante à la cuisine. « Tout commence par la truffe noire au cœur de l'hiver, puis les jets de houblon, les morilles, les asperges, les fruits et légumes nouveaux, et les gibiers, canard sauvage, perdreau, bécasse, et le bouquet final avec la truffe blanche. Ce calendrier de la nature est le moteur du changement. Et des nouveaux plats. »

Frustré de bécasse rôtie, le gourmet de France doit faire le voyage à Bruxelles pour retrouver les saveurs oubliées de l'oiseau royal, « non déglacé, sinon le goût est tué ». S'il ne peut s'en procurer, le bon Pierre travaille le râble de lièvre « en bécasse ». Les bons produits ne taraudent pas l'artiste belge, posté au passe tous les jours que Dieu fait. Au charbon, le bougre, habile trancheur du bœuf d'Écosse servi façon carpaccio chaud. Sur la langue, une caresse parfumée de mousseline de morilles fraîches à la sarriette. Un fanatique du goût. Classicisme et modernité sans choquer. « Cette maison a la cote, confesse-t-il sans fausse modestie. Difficile d'avoir une table le soir ! »

Ce sont les trois menus adroitement composés qu'il faut regarder de près ; ils combinent les grands plats Wynants, les spécialités ancrées place Rouppe et les inventions saisonnières. L'ancien commis de Raymond Oliver au Véfour de la grande époque attache une grande importance à l'harmonie des mets, à la variété des produits de base et à leur mise en valeur. C'est dans la répartition de ses grands plats qu'on juge au mieux l'éventail des talents – saucier, cuiseur, assaisonneur, présentateur de l'assiette. Deux assiettes avant les fromages – certains belges –, et les desserts ont tout pour combler le gourmet.

Les menus des trois-étoiles ne sont plus une réduction des choix, comme jadis quand la séparation était nette entre les plats de la carte envoyés au moment et les menus à trois plats prisonniers d'un carcan immuable. Souvenons-nous de la gamelle de riz blanc expédiée des cuisines du Ritz, unique garniture des poissons avec la pomme à l'anglaise. A bien lire la double présentation des mets Wynants,

Le décor chantourné du maître Horta dans l'omnibus du Comme chez soi.

Pierre Wynants au piano du Comme chez soi, tel qu'on peut le voir de la salle à manger des amis.

on voit que les *must* internationaux, la selle d'agneau au four, le chateaubriand au beurre bourguignon, le filet de bœuf angus, figurent sur la carte et non aux menus, où l'on trouve le waterzoï de coucou de Malines aux asperges et aux morilles fraîches et les dernières créations wynantiennes. Gloire aux menus à trois ou quatre plats qui conjuguent découverte et équilibre !

Et où mangerez-vous ? Le Comme chez soi est double comme l'aigle à deux têtes. Une salle à manger art déco signée du maître Horta, tout en longueur comme l'omnibus de Maxim's, bois des îles, verrière orangée et un brin de rétro. L'œil est aux aguets, et la convivialité de bon aloi. L'autre salle est le prolongement de la cuisine, une sorte de couloir aux murs blancs recouverts d'autographes de célébrités. C'est Bocuse, le facétieux Paul, qui a eu l'idée de ces graffiti dûment signés, le jour de l'enterrement de l'inoubliable Marcel Kreusch en 1984 ; le créateur de la Villa Lorraine fut conduit à sa dernière demeure par ses frères en toque, tous venus saluer un seigneur de la grande restauration belge. Comme quoi le deuil vécu en commun peut produire de bons effets : les repas estompent le chagrin. Inventée ce jour-là, cette longue table d'hôte permet d'observer l'animation de la cuisine, le va-et-vient des toqués et le bruissement des casseroles. Voilà un lieu sans égal dans le cercle des trois-étoiles, une innovation plus que révolutionnaire dans l'univers compassé, un rien passéiste du Michelin.

Chez Troisgros, chez Girardet, la table d'amis n'est pas proposée aux clients. Chez Wynants, c'est la table du personnel et du jet set ! Oui, ce sont les chefs archi-célèbres qui font bouger les normes du guide rouge. Et aujourd'hui, en ces temps de crise larvée, les inspecteurs du Michelin font moins attention aux décors des toilettes – le marbre n'est plus de mise – qu'à la vérité de l'assiette et au traitement juste des recettes. Sus au tape-à-l'œil et aux fastes intérieurs ! Plus d'esbroufe ni de tralala ! Nous ne sommes pas au théâtre, mais chez les meilleux queux du monde.

Dès 1984, Pierre Wynants, le Belge qui voit loin, a eu la prescience de cette volte-face radicale. A l'heure où les additions s'envolent, les drapés et les ors sont remisés au grenier. Le luxe, non, la qualité, oui. Va-t-on vers un environnement minimaliste, le juste-assez pour jouir de l'assiette et du verre ? Alain Chapel comme le Belge de la place Rouppe ont montré l'exemple.

Côté service, le Comme chez soi a peu de rivaux. Connaissez-vous des restaurants où le sommelier vous demande plusieurs fois si le vin est proposé à juste température, si le rythme du repas vous convient, si la succession des mets n'est pas précipitation – c'est l'amour du client. Et on lit dans les yeux des

Les sommeliers dans la cave aux flacons sculptés ; une exceptionnelle collection de grands bordeaux.

maîtres d'hôtel et commis, inspirés par la grâce de Marie-Thérèse Wynants – la moitié du chef patron –, une immense attention aux mangeurs, et comme le désir simple de faire plaisir. « Dans les temps actuels, note Pierre Wynants, il faut avoir le souci du meilleur rapport qualité-prix, en solides et liquides, et l'obsession de choyer le client. »

L'œnophile prendra connaissance de la carte des vins qui meublera sa solitude s'il est dépourvu d'une compagne de gueulardise. C'est une sorte de chef-d'œuvre par l'abondance et la qualité des flacons. Presque unique en Europe : pas moins de vingt et un millésimes de Pétrus dont le splendide 61 (le sublime 71 est parti). Et treize millésimes de Cheval Blanc, douze Latour dont le 61 et le 64, treize Mouton-Rothschild 64, 61, 59, douze Lafite dont les 61, 55, 45, douze Margaux dont les 61, 59, 45, douze Haut-Brion dont les 61, 59, 55, 53. Aucun millésime moyen ! Et une exceptionnelle sélection de Saint-Julien. Révélateur : une seule Romanée-Conti de 1972, mais huit Richebourg de propriétaires différents. A côté de ces splendeurs, le Côtes-du-Rhône blanc de Marcel Guigal, pour agrémenter le premier menu, à un prix cadeau. Wynants, un trois-étoiles modèle. Comme l'écrit Christian Millau : « Si, chez soi, on mangeait aussi bien que chez lui, notre vie quotidienne serait un inépuisable nirvana. »

Mousse de jambon
Bouillon de langouste aux lentilles et au basilic
Esturgeon poêlé, crème de saumon fumé, huître et champignons
Émincé de bœuf, mousseline de morilles fraîches à la sarriette

*

Champagne brut la Demoiselle PF Vranken
Côtes-du-Rhône blanc Guigal 90
Saint-Julien Château Gruaud-Larose 82

BARON
DE

ZALACAIN

Le gentleman de Madrid

Pour Miguel Torres

Y a-t-il une cuisine madrilène ? Enracinée dans la mémoire du peuple ? Défendue et illustrée par Zalacain, le plus fameux restaurant de la capitale espagnole, créé par le señor Oyarbide en 1972 ? « Je ne vois qu'un seul plat madrilène », me répond l'ami Oscar Caballero, excellent chroniqueur de table, compagnon de gueulardise. « Le pot-au-feu avec les pois chiches, c'est tout. » Le chef de Zalacain, Benjamin Urdrain, francophile, ancien du Plaza-Athénée et autres lieux de France, ajoute : « Le gras-double. Comme à Lyon. » Deux plats symboles qui ne font pas une cuisine – ni un ensemble de recettes. La paella sur commande seulement, chez Zalacain.

Il n'est que de consulter la longue carte de Zalacain pour mesurer les influences extérieures à l'Espagne et l'apport magistral de la cuisine française dont est pénétré le proprié-

Le buffet de hors-d'œuvre, avec le jambon Jabugo.

Une partie du personnel, salle et cuisine, de Zalacain. Au centre, le chef Urdrain, avec la grande toque.

Une des trois salles à manger de Zalacain.

taire de ce restaurant chic, rendez-vous de la gentry madrilène. M. Oyarbide n'est pas un queux devenu, grâce au succès, un chef patron. Il n'a jamais travaillé les poêles et le chinois. En revanche, son épouse a été une excellente cuisinière professionnelle, et, à eux deux, ils ont imaginé ce Zalacain, aux couleurs orange et marron, une longue salle à manger divisée en trois salons, un peu comme l'omnibus de Maxim's et le Comme chez soi de Pierre Wynants à Bruxelles, en plus vaste – Zalacain accueille le week-end cent vingt couverts pour le dîner. De la race du regretté Marcel Kreusch, de René Lasserre, de Claude Terrail, M. Oyarbide, voyageur gourmet, et son épouse ont conçu et réalisé un relais gourmand – membre de Tradition et Qualité – où se rejoignent de multiples facettes de la grande restauration internationale. Côté nourritures de luxe, préparations savantes, tout y est pour que le gourmet fortuné soit servi, comblé, fêté, au mieux. A l'ancienne.

Du voiturier à la dame du vestiaire, des maîtres d'hôtel aux cheveux blancs, façon sénateur en bonne santé, jusqu'au sommelier hidalgo Custodio Zamarra, virevoltant entre les convives, tous les rouages sont huilés, et l'orchestre joue sa partition sans fausse note. Même la terrasse ensoleillée comme le patio du Plaza à Paris – un plus pour le plaisir des privilégiés – et le ciel de Madrid, toutes les pièces du puzzle y sont. A leur place.

C'est le bouquet des mets qui va polariser l'attention du mangeur pour qui l'appétit vient en lisant, selon le mot génial de James de Coquet. En pénétrant dans la première salle, le bar est à droite, vous tombez sur la présentation des gâteries, jambon à la coupe, langoustines, coquillages et boîtes de caviar. La chose est étrange – imagine-t-on pareille exposition chez Taillevent ? De même, sur les tables des convives, des corbeilles de fruits à la place des fleurs. Belles nappes de lin, argenterie fine et les seconds maîtres d'hôtel vêtus de spencers blancs à revers marron, nœud papillon de la même couleur – tous de beaux bruns aux cheveux plaqués et luisants. De certains, élancés, on attend les pas cadencés du flamenco. Salut au folklore.

Tout ce qui va être proposé à vos papilles ressort peu de la tradition ibérique, à l'exception des civelles (en saison) servies froides à l'ail et aux fines herbes ou chaudes à la basquaise, du gazpacho (l'été), de la bécasse rôtie aux cèpes et son chou au foie gras, du ragoût de cerf et des cailles de chasse – le médaillon de biche et la morue aux poivrons rouges ayant depuis des lustres franchi les frontières. Une curiosité, le gratin de cardons au foie gras en hommage aux Lyonnais.

L'ethnologue des garde-manger et du patrimoine culinaire aura intérêt à s'accrocher à son fauteuil d'acajou quand il détaillera les assiettes du chef Benjamin Urdrain à la belle crinière blanche. Parmi les trouvailles, les huîtres de Belon, les huîtres au caviar en gelée – la prison gélatineuse des grains sublimes – les lasagnes aux cèpes et au foie gras, la salade de scampi à la vinaigrette d'avocat, la salade aux poireaux frits et aux clovisses, et, parmi les sophistications Zalacain, le foie d'oie aux mandarines et aux poivrons, le mignon de filet de bœuf aux framboises des bois, et la cime des incongruités est atteinte avec le steak tartare et le pied de cochon farci à l'agneau sauce moutarde.

Ah ! la formidable mosaïque de plats « mode », de préparations marines de luxe (rougets, bars) associées aux gibiers les plus rares (palombe, tourterelle, bécasse), de viandes envoyées à la manière Escoffier – le tournedos de veau aux aulx ! Que sera la carte quand M. Oyarbide et son chef auront exploré la pratique Ducasse ! C'est que Zalacain n'a pas de tradition – l'établissement a vingt ans – et que ses points de repère, ses bases, son style sont inspirés des trois-étoiles les plus classiques.

Par quelle spécialité ce restaurant très élégant, un club pour *happy few*, a-t-il été lancé dans les années 70-75 ? Par les salades de homard, de langouste, de perdreaux ! Quel coup de pied dans les us et coutumes hispaniques – au pays de la viande de taureau et des tapas ! Zalacain a été le pionnier du savoir-manger de luxe, en Espagne. D'où la vérité du nom Zalacain : l'aventurier.

Oui, la méthode Zalacain concentre produits et mets rencontrés dans les phares de la gastronomie française. Tout ce qu'un gros bonnet doit savoir clocher après quelques détours par les grandes maisons de Paris, de Lyon, à commencer par Troisgros première manière, Taillevent, Bernard Loiseau à Saulieu, se trouve inscrit à la carte, une sorte de florilège. Les morceaux choisis. Bien choisis.

Au bar, le duo du barman et du premier sommelier d'Espagne, Zamarra, expert en bodegas.

Cela ne signifie pas que Benjamin Urdrain soit un copiste en mal d'imagination, un adepte de la cuisine par télécopie, un lithographe au piano ; ce qu'il envoie plaît à l'aristocratie friquée de Madrid et ne saurait déconcerter le voyageur habitué aux grandes enseignes du globe. Zalacain ne connaît pas l'art moderne en cuisine, tant mieux. On regrettera quand même que les poissons – la sole à l'huile d'olive – ne soient pas traités à la *plancha* et servis avec l'arête. Aussi bien, comme dirait le maître Courtine, les amuse-bouches pourraient être des tapas de rêve, et des tranches de jambon Jabugo – et non de la carotte ou de la betterave platement assaisonnées. Et le service à l'assiette étendu à d'autres préparations. Le pain maison aux céréales, le beurre (rare) et les petits fours sont facturés.

Le gourmet venu de France devra se plier aux horaires espagnols, le déjeuner à 14 h 30, cognac, brandy et cigares à l'heure du thé tandis que le dîner ne s'ordonne pas avant 21 h 30 et se prolonge au-delà de minuit. Zalacain attire au lunch les gens d'affaires qui ont du palais et les moyens. Ils disposent d'une carte menu de prix plus abordable et, dès 15 heures, il est frappant d'observer les mangeurs palabrer au téléphone portatif tandis qu'ils touillent la crème de cèpes ou l'intérieur noirâtre d'une bécasse.

Le soir, les plus belles créatures de Madrid, de superbes blondes chanellisées façon Claudia Schiffer peuplent ce couloir aux murs laqués, accompagnées de don José aux doigts bagués et aux cheveux lisses. Whisky et tabac créent le moment d'euphorie ; le jet-set local dédaigne le *cava* et, s'il s'agit de pétillance, les grandes cuvées de champagne, Dom Pérignon, Bollinger, Krug, Cristal, la grande Dame et le franco-espagnol Abelé, occupent le terrain. Un sommelier à la taille de Grand d'Espagne – le meilleur du pays – goûte les vins dans sa tasse et vous tend votre bouchon, vend les vins espagnols de son choix, issus d'un livre de cave où les *bodegas* sont rangées par région – Penedés, Rioja... Pas moins de sept crus de Miguel Torres, le meilleur vinificateur d'Espagne pour les blancs comme pour les rouges (Gran Corona). A noter que les cigares sont présentés systématiquement. Carte des portos, également, au verre.

Pour les tenants de la royauté en exercice, signalons que Juan Carlos et la reine Sophie ont leur table attitrée – la six – dans la première salle de Zalacain. Le roi se régale de tout, il ne mégote jamais – pas la moindre censure alimentaire, ce qui n'est pas le cas de la reine Sophie, préoccupée par sa ligne. Le chef de la maison royale, le señor Moisés, est l'ami de Benjamin Urdrain, saucier et fier de l'être, lequel est ravi de serrer la main de son souverain, si déférent avec tout le personnel. « Notre ami, le roi d'Espagne », le fringant Benjamin a des trémolos dans la voix quand il parle de son cher Juan Carlos. Il n'est pas le seul dans l'Espagne de la *movida*, du boom économique, et de Madrid, sacrée capitale culturelle de l'Europe en 1992 – une grande année pour le prospère Zalacain, le gentleman arrivé.

Huîtres en gelée au caviar
Consommé aux truffes, ravioli au foie gras
Salade de civelles à l'ail
Biscuit glacé au chocolat chaud

*

Cava Gran Juve 88
Milmanda Torres 91
Vino blanco Santiago Riz 90

EL RACÓ DE CAN FABES

Le roi catalan

Pour
Oscar Caballero

« Je suis né ici au premier étage de cette maison de pierres de San Celoni, en Catalogne. Mon grand-père et mon père aussi, paysans appauvris par la guerre d'Espagne, la répression franquiste et le mépris des autorités de l'État pour le monde agricole. A 16 ans, j'ai commencé à travailler comme dessinateur industriel afin de subvenir aux besoins de mon père, paralysé à vie, et de ma mère, ouvrière dans une fabrique de textiles. Par chance, ma mère m'a communiqué le goût de la bonne cuisine. Cela m'a sauvé. »

Le cheveu ras, barbu, le ventre rond comme Pierre Troisgros, Santi Santamaria découpe la langouste immaculée, fondante et parfumée qu'il va servir nappée de beurre blanc et d'huile d'olive – le Nord et le Sud mêlés. Dans l'ordonnancement du repas, elle viendra après les subtiles ravioles de crevettes à l'huile de cèpes et avant le carré de porcelet confit et croustillant escorté de pommes de terre – trois chefs-d'œuvre imaginés par ce Catalan à l'œil perçant, à la culture immense, devenu en quinze ans de galère l'égal du maître basque Juan Mari Arzak – les deux génies de la cuisine ibérique moderne.

Le chef patron Santamaria et son sommelier : une carte des vins en quatre volumes !

Le mot n'est pas trop fort : le gastronomade Gilles Pudlowski l'emploie pour Santamaria à la suite d'un magistral déjeuner au Racó de Can Fabes, le restaurant d'allure fort modeste du « Girardet catalan » (André Parcé).

Oui, un très grand. Malmené par un destin ô combien troublé. Songez que cet estaminet, à la décoration rustique, comme l'écrit le Michelin espagnol, niché dans un quartier sans âme de San Celoni, gros bourg de 11 000 habitants à 49 kilomètres de Barcelone, c'était l'étable de la finca familiale où une demi-douzaine de vaches espagnoles broutaient la paille, tout près de la cuisine mouchoir de poche de maman Santamaria. Elle trayait ses vaches tandis que le marmot brûlait la crème catalane – ainsi naissent les queux paysans.

Jamais une grande table au devenir somptueux n'a eu une origine aussi humble – à l'exception de la bergerie provençale de l'Oustau de Baumanière, aménagée par Raymond Thuilier à la fin de la Seconde Guerre mondiale.

Ainsi, les meilleures préparations du terroir catalan – issues des produits de la mer et de la terre –, vous allez les savourer dans les bâtiments d'une ferme transformée en 1981 par le

Santi Santamaria au marché de poissons de San Celoni.

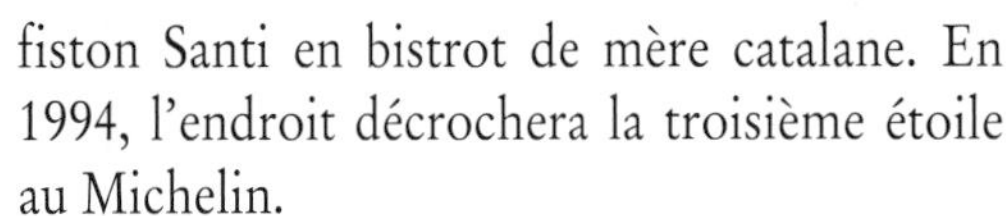

fiston Santi en bistrot de mère catalane. En 1994, l'endroit décrochera la troisième étoile au Michelin.

Une aventure unique dans les annales, sortie de Charles Dickens ou d'Hector Malot : le mélo qui a fait pleurer Margot conjugué à la saga Gault-Millau. Côté casseroles, la réalité dépasse la fiction.

« En 1980, j'ai renoncé à entrer aux Beaux-Arts par manque d'argent. J'ai persuadé mes parents d'hypothéquer leur maison afin d'en faire un bistrot, raconte Santi, un verre de Penedes à la main. Et je me suis mis aux fourneaux. J'aimais la cuisine avec passion. J'avais vu ma mère mitonner de bons petits plats locaux. Je savais assaisonner une salade, couper des tomates, composer un ragoût, cuire la

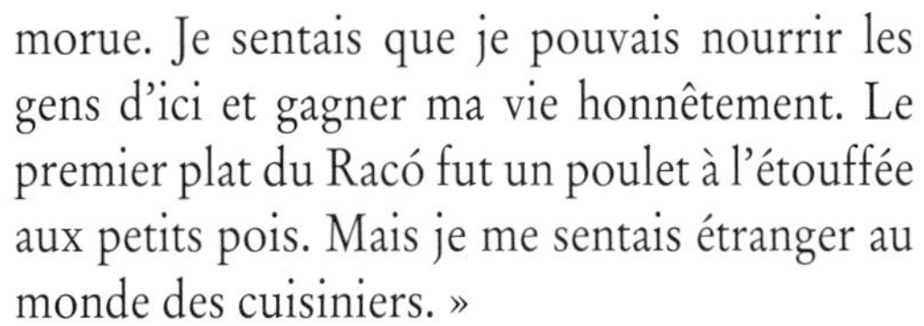

morue. Je sentais que je pouvais nourrir les gens d'ici et gagner ma vie honnêtement. Le premier plat du Racó fut un poulet à l'étouffée aux petits pois. Mais je me sentais étranger au monde des cuisiniers. »

Le hasard a voulu qu'un cuisinier français, Philippe Sert, ancien de la brigade de Michel Guérard, ex-responsable du Comptoir gourmand, place de la Madeleine à Paris, vienne patrouiller dans le secteur avec l'idée d'ouvrir un relais-château près de Barcelone. Le Français prend contact avec Santamaria, goûte sa cuisine vive et personnelle (ah, les cèpes, les asperges sauvages ou les oronges de l'automne !) et s'enthousiasme pour le style Santi, pour sa fougue, son énergie et son désir d'apprendre le manger-vrai. Ainsi est née cette transmission du savoir (« grimper sur les épaules de votre prédécesseur », disait Raymond Oliver) et a eu lieu cette passation des principes de base, des exigences et d'une éthique qui font les artistes de la cuisine contemporaine.

Santi Santamaria ou l'autodidacte intégral. Connaître les secrets de la cuisine d'art en la mangeant et non en la faisant – ainsi le Catalan fils de réprouvés se forge-t-il un palais de roi.

Il lit Escoffier, apprend le français grâce aux recettes des livres publiés par Claude Lebey, bienfaiteur des marmitons et cordons-bleus, et, comme il a épousé une belle brune, il la conduit en voyage amoureux dans la France des étoilés Michelin, cette route des pèlerins de la gueule à l'affût des émotions, au fil des papilles. Comme Girardet, le premier à éprouver un bouleversement intime chez les Troisgros, Santamaria le Catalan et les Santini d'Italie vont se pénétrer des arcanes de la gestuelle française.

« Pour moi, la cuisine est une passion violente. Je vis pour cuire et assaisonner, pour travailler les champignons, les herbes sauvages, la mâche des champs catalans, les cochons de lait de trois kilos, le lard épais, le merlu, la raie et le loup de mer à l'ail, confesse-t-il. Très vite, dans les années 80, je me suis rendu compte que je devais abandonner les plats de ma mère. Je tournais en rond. Je voulais évoluer, et Philippe Sert, mon cher ami, m'a encouragé, aidé,

Une cuisine de terre et de mer, gambas et poulet magnifiés.

poussé en avant. Et puis, quand j'ai épousé ma femme, nous sommes allés en voyage de noces chez Guérard, puis chez Troisgros, chez Robuchon, chez Ducasse, chez Pacaud à L'Ambroisie. Et là, j'ai vu la lumière à l'horizon – où je devais m'orienter pour trouver le chemin d'une certaine perfection. »

Le queux Santamaria a la fibre catalane. Sa manière, d'une extraordinaire diversité de goûts, s'intègre dans l'histoire de la Catalogne, magnifique province de gueulardise, singulière rivale du pays basque, dont la cuisine est très en cour à Madrid.

Il y a du révolté, de l'écorché vif chez l'affectueux Santi, un homme de cœur. Sa cuisine se veut le miroir de la grandeur catalane : « Transmettre la créativité de ma province, la dignité du métier de chef de cuisine, et des émotions fortes. »

Ainsi Santi a-t-il entrepris de nouer des liens entre la Méditerranée et la terre catalane enrichie par le legs de l'Histoire. La cuisine de

El Racó ou la cave d'un collectionneur de flacons.

Catalogne se mange assis, celle du pays basque debout : voyez l'assiette de tapas.

« Ne pas trahir, dit Santi, même si j'utilise le sous-vide pour le cochon de lait, une technique qui élargit les saveurs. Le lard de Robuchon, je l'ai adapté au souvenir qu'il m'avait laissé, et je l'agrémente des espardenyes, ce mollusque blanc de la famille de l'oursin. »

Quels festins chez ce Gargantua jovial !

Oui, il y a en Catalogne une révolution culinaire, et El Racó est le temple de la gastronomie du Nord. Partout fleurissent de belles maisons de bouche, et des chefs imprégnés de tradition populaire qui veulent progresser. L'exemple de Santi Santamaria, parti de rien, élevé dans les jupes de sa mère, mérite d'être médité. Très peu de couverts dans son auberge fraîche, un espace culinaire géant, des travaux en permanence dans ses deux salles à manger, des cartes des vins selon les couleurs, les origines, le type de vins, des dessins du grand peintre catalan Tapiès, sur la couverture de la carte en velin. El Racó de Can Fabes (le coin de Fabes) n'accueille que des gourmets – car les repas d'affaires sont inexistants à San Celoni, pays de la chimie industrielle. L'été, le voyageur ne s'arrête pas. Vite à Marbella, Torremolinos !

A Barcelone, Santi serait le Bocuse catalan, un sculpteur de la qualité gustative, « un homme de vérité », dit Parcé, qui connaît ses talents, un magnifique cuisinier de sensibilité offerte – les meilleurs.

Trois étoiles en 1995, El Racó ou la réussite du couple Santamaria.

Gelée de tourteau au caviar
Raviolis de crevettes, huile de cèpes
Langouste au beurre blanc
Carré de porcelet confit
aux pommes de terre

*

Penedes blanc 94 Rafols
Collioure 93 Les Jenquets
Banyuls 94 La Coume Parcé

JUAN MARI ARZAK

Le Basque au grand cœur

Pour
Michel Piot

« Jusqu'à mon mariage, je n'avais pas de chez moi. Ma maison, c'était ma cuisine, ici, dans l'auberge familiale de San Sebastián. Toute ma vie a été marquée par le souci de nourrir les gens, du mieux que je pouvais. » Il a habité sa passion, ce Juan Mari Arzak, lunettes sur le nez, rond, jovial, affable, qui achève son tour de salle. Il a vu tous les clients du déjeuner très prolongé – c'est l'heure du thé à Londres – et la salle à manger embaume d'effluves d'ail. Ça sent gourmand, ça sent la bonne chère travaillée aux huiles, les farces, les sauces, et les chipirons dans leur encre. Encore un repère de gueulards de tous pays, ces acharnés de la langue qui écument les endroits où l'on s'envoie au septième ciel de la bouffe. Le palais mouillé de vins vifs ou puissants. Juan Mari est heureux, tous les jours que Dieu fait, c'est le Basque au cœur bondissant, de la bonne pâte d'homme.

Au bord de la route brûlée par le soleil d'été, à l'entrée de San Sebastián en venant de France, l'auberge de la famille Arzak. Une bâtisse de trois étages, couleur caramel, un couloir d'entrée, et un modeste bar de huit fauteuils, bien calfeutré, abrité des chaleurs aoûtiennes. Une sorte de réfectoire tout boisé pour affamés, créé en 1895 par la grand-mère Arzak, une vestale des fourneaux de la race de la mère Blanc à Vonnas.

Solide, fidèle, du courage, elle est à l'origine de la dynastie Arzak, et à son fils, elle a transmis les secrets de la morue, du colin, des palourdes, des piments – et des piballes nacrées. Le fils Juan Mari a pris la suite, monté en graine dans les écoles hôtelières ; il s'est élevé vers les sommets de la poêle par de nombreux stages chez les trois-étoiles français. Un parcours moins classique qu'il n'y paraît : Arzak ou les vertus de la modestie culinaire.

Devant la façade du restaurant familial, le plus fameux chef d'Espagne, Juan Mari Arzak.

C'est la tambouille du petit peuple que l'on savoure chez ce queux, sacré meilleur cuisinier d'Espagne en 1974. C'est le chantre du terroir des Basques et des trésors de la mer, à commencer par le colin aux palourdes sauce verte, la mousse de rascasse froide comme un soufflé, les crabes farcis en coquilles et la soupe de poissons.

« Des plats de pauvre », dit Juan Mari, exalté par un superbe savoir-faire et un vrai sens du détail. Et une légèreté aérienne dans toutes les préparations, qui sidère le mangeur. Une assiette de petits pois et de fèves comme chez Guérard, et le riz aux palourdes comme on n'en mange jamais. « Tout cela est très

La livraison des poissons et, dans l'assiette, les piballes argentées si prisées des gourmets.

Le débouchage au fer rouge des vintages de Porto.

simple », dit Juan Mari qui prend les commandes lui-même, car il veut voir le visiteur, deviner ses goûts et le faire saliver par les créations du jour, inspirées par le marché.

La vraie cuisine du marché, elle s'invente dans cette taverne des faubourgs de San Sebastián selon les cadeaux des pêcheurs, des fermiers, des maraîchers des environs. Mis à part le foie gras et le homard, l'ombre de la mère Arzak plane dans l'air, et elle imprime le style et la manière du fiston, devenu, avec le temps, l'alter ego des grands maîtres français de la table. Comme il le dit lui-même, « il fait l'amitié avec Guérard, Dutournier, Bocuse, Senderens, Troisgros, Girardet et Boyer », mais il ne plagie jamais ses pairs – et les huîtres chaudes tant aimées chez Claude Peyrot au Vivarois, où sa fille Helena Arzak a appris la terrine de légumes chaude à l'huile d'olive –, jamais ces plats admirables ne figureront à la carte de l'auberge de San Sebastián.

« Nous avons un pays, une langue, nous les Basques, et ma cuisine est celle du sol, souligne Juan Mari, un sage éberlué par sa haute réputation depuis la troisième étoile Michelin. Il n'y a ni caviar ni langouste, ici. Mais des pommes de terre, de la morue, des haricots rouges. L'agneau est élevé dans les collines, et je sais qui a pêché les colins du jour ! »

La troisième étoile pour ce cuisinier du pays, comme on dit du vin, a été un véritable tremblement de terre, « l'équivalent du prix Nobel », confie-t-il. L'apprenti de maman a gravi toutes les marches de la gloire ; et il se veut un cuisinier auteur qui a dépassé l'ouvrier, le cuiseur de coquillages, le touilleur de calamars qu'il fut. En dépit de la belle clientèle, Rolls, Vuitton en provenance de palaces, il reste le trois-étoiles le moins cher d'Europe. Deux fois moins coûteux que ses pairs.

Le service est encore féminin, et en cuisine trois chefs de partie sur quatre sont des cuisinières. Voilà qui devrait encourager l'Arc, les femmes cordon bleu de France.

C'est son combat pour les saveurs et la légèreté qui a été récompensé. Sa créativité aussi, car la liste des grands plats maison couvre toute une page de la carte-menu. Cette exigence de goût et de finesse – les ingrédients inventés comme l'huile de carotte – c'est cela qui a fait de Juan Mari l'égal des plus valeureux. Il faut faire le voyage de San Sebastián.

Fromage de chèvre aux poireaux, jambon Jabugo
Langoustines aux morilles
Agneau à l'huile de noisettes
Gâteau au chocolat amer chaud

*

Champagne brut Abelé
Marqués de Murrieta blanc 86
Rioja Alta Arzak 87

Les desserts d'Arzak, beaucoup plus sophistiqués que le reste de la carte, profondément enracinée dans le terroir basque.

La famille Santin :
le père, la mère,
le fils Maurizio et son épouse ;
la cuisine italienne
entre tradition et modernité.

ANTICA OSTERIA DEL PONTE

La manière Santin

Pour Jean-François Revel

Brandade de morue en amuse-bouche, risotto aux salsifis et aux morilles, gnocchis de morue, ragoût d'animelles, de topinambours et de truffes noires, raviolis au caramel, tarte au chocolat inspirée du maître Robuchon, la carte du signor Santin et de son fils Maurizio panache des plats de cuisine italienne modernisée et d'autre sortis du crâne et des gestes de ces deux personnages hors du commun. Hors normes dans la galaxie des plus fameux cuisiniers d'Europe.

Ah ! l'étrange destin de cette auberge à l'ancienne plantée au bord d'une paisible rivière, le Naviglio, qui conduit à Milan. Vous êtes dans la périphérie de la grande cité industrielle, à 28 kilomètres exactement, sur la route A4 qui mène à Turin. Entre des « fabriques » ultramodernes et la campagne de François d'Assise, entre la ville et les champs, la route vous mène à Cassinetta di Lugagnano, un village de chasseurs bien connu de l'aristocratie italienne, à quelques kilomètres d'Abbiategrasso, gros bourg où l'on peut loger à l'hôtel Italia, car l'Antica Osteria n'a pas de chambres. En face de l'auberge, la Bancomax, le pont, la rivière et le souvenir de Léonard de Vinci, car les pierres qui ont servi à l'édification de la cathédrale de Milan transitaient par cette voie fluviale. L'Osteria ne date pas d'hier. Les Santin assurent qu'elle remonte au milieu du XVIIe siècle. On y a toujours nourri les gens.

Ah ! l'insolite parcours vécu par le père Santin, petit monsieur de la taille de Charlot, les cheveux blancs bouclés comme un hippie des *sixties*, le corps mince, fin, le regard perçant – rien d'un gros bonnet de la Botte tel qu'on les imagine derrière le four à pizzas ou attelé à la machine à tisser la pasta.

En imaginant sa cuisine à lui dans cette maison de pierres roses dotée d'une pietà lu-

Une table dépouillée, les asperges, l'huile d'olive Abbo Dino, les rougets aux brocolis, les lasagnes aux truffes et les carafes de vin blanc et rouge.

mineuse, le père Santin exécutait un tour de force et faisait sa propre révolution culturelle. Vendeur de café-minute dans une boutique de Milan, connaisseur en vins – il a suivi des cours de sommellerie –, l'homme avait été saisi dans les années 70-80 par le démon de la cuisine. Par le mythe de la gourmandise en actes et la fascination du produit à transformer, à magnifier, à embellir – pour le plus grand plaisir des hommes à table. Le candide Santin, dans sa brûlerie d'expresso, en avait assez de la fève, de la mousse et de l'amertume. Le vin déjà l'avait converti à la préférence du goût. Vivre, c'est goûter – la bouche et l'esprit. L'aventure, quoi, et, un beau matin de 1978 il avait jeté son dévolu sur cette Osteria un rien délabrée où il va concocter des plats régionaux, l'escalope de veau à la milanaise et le risotto au safran, par exemple. Des rengaines obligées pour le queux sans lumière. Modeste.

En descendant un samedi sur la Côte d'Azur, seul au volant de sa Fiat, il avait conçu un fabuleux projet, né de la visite chez le maître Vergé à Mougins en son moulin à huile, alors l'une des meilleures tables de France avec le si regretté Alain Chapel. Le père Santin a senti au fond de lui, dans son for intérieur d'ouvrier de cuisine, que l'art de cuire et d'assaisonner ne pouvait se réduire à l'assiette de spaghetti *al dente*, au risotto *all'onda* ou au nuage de parmesan regiano qui parfumait tout et rien. Derrière tout cela, au-delà de ces ritournelles pour ventres blasés, il y avait un autre univers, celui de la création. Du dépaysement, le chinois à la main, et du bonheur des autres – à table – qui commençait par le sien. Mitonner pour se dépasser.

Pour Claudel, ce fut à Notre-Dame de Paris, derrière un pilier. L'illumination, le père Santin l'a reçue chez Roger Vergé devant les artichauts barigoule, le feuilleté de truffes, l'agneau de Sisteron et le grand dessert à l'abricot. Le génie, c'était cela. Santin le découvrait par le canal de ses papilles qui pétillaient d'allégresse. Des lamelles de truffes, le diamant noir si généreusement offert, jamais il n'avait vu cela. Et le Moulin était complet ! A l'époque, de singuliers joyeux de la gueule n'hésitaient pas à prendre l'avion Paris-Nice pour s'envoyer en l'air chez Roger Vergé. Deux mille kilomètres pour deux heures d'extase ; les Troisgros à Roanne, Ducasse à Monaco, Georges Blanc à Vonnas, Bernard Loiseau à Saulieu accueillent encore ces brigades de gueulards, le désir au bord des lèvres. La passion de la langue et du gosier.

Prudent, le père Santin retourna une seconde fois chez Vergé en compagnie de sa femme, patronne de l'Osteria. Dans son cerveau de queux touché par la grâce, le Milanais prévoyait bien qu'il lui fallait convaincre son alliée. La mère aux fourneaux, à deux, ça marche mieux, un restaurant. Et quand Mau-

rizio, le fiston bien né, aura fait ses stages chez les trois-étoiles de France...

Au modèle du Moulin de Mougins s'ajoutait l'expérience décisive chez Alain Chapel. Qui a plus changé la mentalité des cuisiniers que le Dombiste au front dégarni ? Fredy Girardet ? Les Troisgros ? Joël Robuchon ?

Le père Santin se souvient avec émotion de la gelée de pigeonneau escortée des rougets, du foie de lotte, et de la rouelle de langouste. Modification radicale du tout au tout, l'Osteria allait devenir un grand restaurant. « Mon père a commencé par acheter des nappes en lin et des couverts en inox », raconte le fils, ému, qui chante les louanges de son papa. Par exemple, le père Santin cuisait le foie gras sous vide, bien avant que la méthode soit entrée dans la pratique courante – Maurizio, porte-drapeau du talent paternel.

En 1981, première étoile ; deux ans plus tard la deuxième et, en 1986, le couronnement avec la troisième, si difficile à décrocher. Pareille fulgurance ne manque pas de surprendre. Seul Joël Robuchon a gravi les échelons aussi vite, du Nikko au Trocadéro. Et Bernard Pacaud à L'Ambroisie.

Assis dans l'une des deux salles à manger de la modeste Osteria, le plus humble de tous les trois-étoiles d'Europe, le gourmet notera la similitude dans le décor avec l'auberge de Mionnay. Les murs nus, le dépouillement du décor, les meubles rustiques, la blancheur des nappes ; un rituel strict ; le climat de l'Osteria n'a rien à voir avec la grande table au luxe ostentatoire. Tout dans le décor, les rideaux et les toilettes à dorures. L'Osteria est une trattoria de campagne pour fins becs à l'esprit large. La fantaisie italienne, la gaieté de l'accueil, la faconde des patrons, rien de cela n'existe chez les Santin. Ni faste ni clinquant, pas de tabouret de velours pour le sac des dames. Sur la table, pas de parmesan, ni de gressin, ni de moulin à poivre, ni de parme – deux assiettes de sel gros et de poivre en grain. L'avant-garde de la cuisine italienne ? Peut-être. Sans les excès de certains funambules et les redoutables influences nippones – le sushi à la polenta...

Dopé par papa, magnétisé par les plats italiens-français, poussé à sortir de sa carcasse de pizzaiolo, le fils Maurizio, un demi de mêlée en toque, a écumé les bonnes adresses, Robuchon et Taillevent, où il a appris ce qu'était la vie d'un grand restaurant. Une foule d'impressions qui changent un queux. « M. Vrinat, c'est mon deuxième père, raconte-t-il, un exemple pour tout son personnel. A l'époque, Taillevent faisait cent couverts à midi, et cent vingt le soir. M. Vrinat arrivait le premier à 8 heures et repartait le dernier. Tout le monde l'admirait. Et le personnel était heureux de travailler rue Lamennais. C'est cela qui m'a frappé. » La leçon magistrale.

C'est le fils, l'habile Maurizio, qui a obtenu la troisième étoile. Entre son père et lui, un pas de deux qui stimule la créativité. Le père, un artiste du foie gras, du risotto, de la lasagne, le pèlerin de la truffe noire et le fils un pâtissier acharné – plus de trois cents desserts dans l'ordinateur ! Une encyclopédie. Un tandem de même nature que les Lorain à Joigny. Tout pour la maison. Une vision commune.

Il faut venir dans ce bout du monde. Mon taxi de l'aéroport de Milan ignorait l'itinéraire. Sans carte, pas de salut. Les prix sont doux, la carte des vins magnifique, dix-huit mille bouteilles – sacrée la meilleure cave d'Italie en 1992. Et un choix unique de vins de France. Voyez les champagnes : Bollinger cinq millésimes, Mumm trois cuvées, Gosset deux, Krug quatre, Laurent Perrier Grand Siècle, Cristal Roederer, Moët deux cuvées et le Dom Pérignon, Philiponat six millésimes et Piper rare. Vous noterez les très belles assiettes à fleurs de Frank Silvestri et le délicieux café moussu. L'Italie de la bouffe vue par la famille Santin, un voyage qu'on ne regrette pas.

Scampi al profumo di arancia
Risotto alla scorzonera e spugnole
Lasagnetta ai cipollotti freschi,
porri e tartufi neri
Flan di cioccolato caldo in salsa
al cioccolato bianco

*

Ferrari brut
Pinot blanc Collio 91
Solaia Antinori 85

DAL PESCATORE

La dogaresse de la pasta

Pour
Natale Rusconi

C'est une trattoria de campagne comme on n'en voit plus en Italie. Perdue dans la plaine du Pô, une auberge en pleins champs, tenue par deux femmes, la mamma et la belle-fille Nadia, aidées en salle par le fils et le mari, Antonio Santini, l'amphitryon des lieux. Pas facile à trouver, même avec la meilleure carte d'Italie ; une adresse d'exception pour fous de la *cucina italiana*, nichée dans un mini-village de 43 habitants, Runate, traversé par la rivière Oglio, source de multiples trésors. Parvenu enfin à bon port, après quantité de péripéties géographiques, quelle récompense ! La pure félicité.

Vous êtes en Lombardie, à une quarantaine de kilomètres de la sublime Mantoue – « la région la plus riche d'Italie », d'après Gualtiero Marchesi, le pape du ravioli ouvert d'Erbusco –, la terre promise pour les produits de la chasse, de la pêche, de la ferme – et pour le riz, qu'on cultive comme nulle part ailleurs. Bon comme la pasta.

Le *pescatore*, le pêcheur de l'enseigne aperçue sur le bord de la route, au beau milieu des steppes de maïs, c'était l'arrière-grand-père

Nadia et Antonio Santini dans le petit salon du Pescatore, près de Mantoue.

Aubergistes de la plaine du Pô, les Santini vous reçoivent comme chez eux.

Santini, un fermier lombard qui extrayait de la rivière brochets, anguilles et esturgeons – du caviar à raison de dix kilos par semaine, c'est toujours vrai. Et, dans les prés et les eaux alentours, des canards, des poulets, des pintades escortés des légumes du jardin, la courge en tête, la tomate non dénaturée et les fruits du verger : le paradis terrestre pour nourrir les humains. Les régaler.

Le fils du *pescatore* , Giovanni, vous le verrez au fond du jardin surveiller les canards gras, le dos courbé, le cheveu blanc, paysan sublime sorti d'un roman de Lampedusa, cousin du garde-chasse du Guépard. C'est lui qui a épousé avant la guerre, sous Mussolini, l'admirable cuisinière du Pescatore, une authentique vestale des fourneaux qui a su former à la gestuelle de la pasta divine sa belle-fille – trois étoiles au Michelin en 1996, la troisième génération des Santini à donner à manger aux gens du coin, de singuliers mastiqueurs venus de Brescia, de Parme et de Mantoue, où a survécu une forte tradition de

bonne chère et de vins. Le restaurant Pescatore, c'est Troisgros dans la campagne lombarde. Car Nadia, la cuisinière Santini, a relevé l'accent italien dans le récital des Troisgros.

Loin de tout. Mais le Pescatore est devenu depuis les années 80 le rendez-vous de cohortes de gourmets – certains venus du sud de la France – qui retrouvent dans cette bâtisse sans charme apparent les saveurs de l'authentique cuisine italienne, celle de nos songes les plus fous. Car si les raviolis ont essaimé partout, fourrés de multiples ingrédients – de langoustines par le maître Robuchon –, comment sont ceux des origines ? A la viande de veau, comme les vrais cannellonis ? Qui vous le dira ?

Dans les années 70, la belle Nadia et son fiancé Antonio Santini étudient les sciences humaines à l'université. Elle est vénitienne, son père est fermier, et le jardin potager évite les achats au marché. On se nourrit des ressources locales, comme elle le fera dans ce Pescatore transformé en phalanstère où paissent les troupeaux d'agneaux et de chèvres veillés par des bergers. De la belle-mère, elle reçoit les principes de la pasta maison, de la poire parfumée à la moutarde, des fettucine pomodoro, des « incontournables » de la Botte. Bocuse chante ses louanges, ainsi que Sirio Macchioni, le New-Yorkais.

Ici, la courge destinée au bétail est reine ; Nadia en fera de délicieux tortelli sertis à la cannelle, noix muscade et parmesan. Personne ne travaille le parmesan chauffé comme cette femme au regard doux, qui a su apprêter les plats de la haute tradition aux goûts d'aujourd'hui. Qui réussit le risotto aux fruits de mer *al onda*, la terrine de pêches, la blanche cassata sicilienne au chocolat chaud comme Nadia ?

Dans le consommé, on ajoute du vin rouge, ainsi que le font les paysans des pays viticoles. Nadia et Antonio le servent toujours, souvenir de temps immémoriaux. Elle le dit : « Je règle ma main sur la mémoire. »

Dans ces lieux de vie, et à l'exemple de sa belle-mère, Nadia la brune a accumulé un

La belle-mère, vestale des fourneaux, et Nadia, la bru qui a décroché la troisième étoile en 1996.

Nadia et son beau-père Giovanni, le jardinier magicien du Pescatore.

Nadia et son fils dans la basse-cour de l'auberge : un grand restaurant comme on n'en voit jamais.

Trois classiques du Pescatore : les grosses tagliatelles, les raviolis de courge et le risotto au safran.

savoir-faire culinaire imprégné de la meilleure tradition – de l'antipasto aux gelati, du jambon culatello, supérieur au San Daniele, à la cuisson rosée du canard gras. Un répertoire court, ramassé sur l'essentiel – inoubliable.

Elle incarne le meilleur de la cuisine italienne, plats de trattoria – de luxe (foie gras) et de France – où elle fera maints séjours de gueulardise, un mois par an. Mais, à la différence d'Annie Feole, la Niçoise de Florence (L'Enoteca), elle s'est maintenue à bonne distance du style français. Elle se refuse à imiter ce qu'elle a vu, compris et assimilé chez Troisgros, à Mougins du temps de Roger Verger, chez Bocuse, chez Outhier, au cours de voyages gastronomiques à Paris (L'Ambroisie) et chez Point à l'époque de la douce Mado. Il est significatif de l'entendre raconter des repas d'anthologie vécus dans l'ombre de la veuve de Fernand Point, son modèle inconscient (?) au centre du cénacle des maîtres.

Comme la prêtresse de Vienne, dépositaire des recettes magistrales à l'imperator Fernand, Nadia Santini a voué sa vie au bonheur de ses hôtes. Elle ne quitte jamais le Pescatore et sa modeste cuisine, où elle côtoie toujours sa belle-mère, dispensatrice des secrets de la poêle. Comme si toutes deux cuisinaient pour une grande famille ou chez le doge de Venise. Elles auraient fait merveille pour le « Risi e Bisi » de la fin avril, quand surgissent les petits pois de Vénétie !

Le Pescatore n'accueille que vingt-cinq couverts par service, le plus petit des trois étoiles d'Europe et l'un des moins coûteux ; une douzaine d'employés seulement ; vous noterez l'espacement des tables dans la salle à manger ouverte sur un jardin à terrasse, la haute cheminée, et la discrétion très professionnelle du service, sans maestro virevoltant. Le bel Antonio, plus civilisé qu'on ne le pense, accueille les mangeurs sur le qui-vive par cette envolée : « Si vous avez assez des possibilités physiques pour savourer quatre plats, allez-y ! » Ne vous privez pas. L'enchantement à chaque plat, la cuisine italienne comme vous ne l'avez jamais savourée. Le genre de restaurant où, à peine sorti, on rêve de revenir.

Le gourmet ne sait ce qu'il faut le plus louer. Devant une telle simplicité, une telle maîtrise, tant de netteté dans l'exécution – l'incroyable saveur du canard maison –, on reste confondu. On salue l'inspecteur du Michelin local qui a suivi la carrière de la géniale Nadia, inconnue en 1980. Une vie humble et discrète, ainsi que l'écrit le poète, une vraie autodidacte sublimée par un extraordinaire palais, passée de la polenta des réprouvés à la truffe blanche des nantis – Nadia est sûrement la meilleure cuisinière italienne du monde. « Non sans mérite, car il est plus difficile de réussir des plats de tradition modernisés, sans gras, qui exigent des bases, du doigté et de la culture », dit-elle de sa voix douce. Du génie dans le risotto parmigiano : rarissime. Et beau.

Culatello di ribello
Tortelli di zucca, burro e parmigiano
Petto d'anatra all'aceto balsamico e mostarda di frutta
Cassatta di Sicilia alla chocolat

*

Mumm de Cramant
Chardonnay Uccelanda 92
Recioto di soave 95 Anselmi

L'ALBERETA

La thébaïde du divin Marchesi

Pour Claude Lebey

« J'ai toujours eu en moi un désir de culture. Mes écrivains préférés, Thomas Mann, Kierkegaard et Umberto Eco, ainsi que des compositeurs de musique moderne, des peintres comme Enrico Baj et des sculpteurs d'avant-garde n'ont cessé d'accompagner mon destin de chef cuisinier. Je n'aime pas Verdi. Je ne lis jamais de romans de gare. Je vénère Escoffier et la cuisine française. Mais avant tout je suis un puriste. »

Fils d'un hôtelier de Milan, la soixantaine active, l'œil et la démarche vifs, Gualtiero Marchesi pointe son regard sur la belle salle à manger de L'Albereta, scrutant l'une après l'autre les tables rondes toutes occupées par les mangeurs gastronomades venus, sur le qui-vive, découvrir les curiosités salées et sucrées, et autres créations du maestro de la nouvelle cuisine italienne. Comme Gagnaire, Veyrat et Roellinger, le Milanais transplanté à Erbusco est un homme d'inquiétudes, un sceptique qui doute. Et va de l'avant.

Là, sur les collines striées de vignes de la Franciacorta, à une cinquantaine de kilomètres de Milan, en direction de Venise (sortie Rovato, sur l'A4), l'autodidacte Gualtiero exerce son art, mû par « l'amour gastronomique », vocable moins étrange qu'il n'y paraît – ce qui a été sa raison de vivre depuis l'après-guerre. Dans ce palais aux formes biscornues, superbe promontoire dominant les ceps de merlot et de chardonnay de cette AOC en pleine embellie – le meilleur mousseux d'Italie vient des vallons moutonnés de Franciacorta –, au rez-de-chaussée de cette thébaïde réservée à quelques poignées de « travaillés de la gueule », le signor Marchesi, veillé par sa femme, pianiste virtuose, reconstruit des pans de la *cucina italiana* – à sa façon. Avec deux idées-force : la simplicité et l'harmonie. Et le souci des grandes règles apprises chez les Troisgros. A L'Albereta, le style Marchesi affleure dans tous les plats.

Le signor Marchesi dans les vignes de la Franciacorta.

Avant son séjour à Roanne en 1967, Marchesi, sorti de l'école hôtelière de Lucerne et d'un stage à l'hôtel Kulm de Saint-Moritz, régale des Milanais fins becs au restaurant Mucato. Sans pasta ni risotto – un comble, une ignominie !

Une douzaine de cuisiniers en haute saison : une étape de rêve sur la route de Venise.

On y mange comme des rois, écrit son ami Eugenio Medagliani, porte-drapeau du cercle des gastronomes aventureux – les premiers marchesistes de l'Histoire. Car, toute sa vie, l'avisé Gualtiero, l'intellectuel de la pasta, le penseur du risotto, le rénovateur de la grande cuisine de la Botte, aura à imposer sa manière, ses principes (cuisine, assaisonnement) et sa rigueur antibaroque. Un obstiné, ce Milanais au cœur d'or.

Cet itinéraire vers l'épure – des *spaghetti vongole* à la salade d'esturgeon au caviar –, Gualtiero l'entreprend. Chez les Troisgros, dans la France de Pompidou, grâce à une double recommandation de l'architecte Cormier et de Marzio Snozzi, directeur général de Mumm et Heidsieck Monopole, un fieffé gourmet. C'est qu'à l'époque, Troisgros est le meilleur restaurant du monde, l'étape obligée pour les enfiévrés de la voûte buccale et pour les diacres en toque blanche. C'est l'université de la poêle, c'est Polytechnique pour les arpètes de tous pays frappés par le démon des fourneaux. Pour être admis dans le cénacle, pas facile. Surtout pour un rital inconnu !

Chaque matin, les Troisgros, sous l'œil de papa Jean-Baptiste, dépouillent des liasses de demandes de stages ; de timides impétrants (Savoy, Loiseau, Météry) sollicitent une place de porte-couteau, de laveur de chinois, d'éplucheur d'échalotes grises afin de côtoyer le rond Pierre et le longiligne Jean, le tandem de génie, inventeur du saumon à l'oseille et du charolais à la moelle et au fleurie. Qui dira l'influence majeure que ces deux gaillards au tempérament bien trempé – deux Saint-Just des casseroles à l'allure débonnaire –, perfectionnistes ennemis de toute routine, ont exercée sur les cuisiniers d'aujourd'hui ? Et ce n'est pas fini.

Dans le modeste restaurant de Roanne, sans

la technologie contemporaine – les Troisgros sont les initiateurs des locaux de cuisine ultra-nickel –, l'ex-bougnat verra défiler la plupart des ténors triplement étoilés au Michelin. Qui a jamais été déçu par un séjour auprès des chefs Pierre et Jean, ce dernier cuiseur de génie, véritable devin devant sa poêle, gourou du temps de cuisson idéal ? Depuis sa disparition, Jean Troisgros continue de faire l'unanimité pour ses talents hors du commun. Tout comme Alain Chapel et Jacques Pic.

« Gualtiero partit à l'improviste pour la France avec la même dévotion que celle d'un Arabe se rendant à La Mecque », écrit l'ami Medagliani. C'est la quête de la révélation, ni plus ni moins. Avec la foi !

A l'âge de 37 ans, Marchesi découvre, médusé, que les Troisgros n'ont pas leur pareil pour interpréter recettes et préparations, qu'ils sont les princes de la variante, de la tangente – sans jamais s'éloigner de ce qu'ils ont décidé. « Le goût raffiné, le métier, et une tête libre comme l'oiseau », écrit Marchesi dans son premier livre de recettes publié en France par Claude Jolly, *La Cuisine italienne réinventée* (Laffont, 1984).

Un ingrédient imprévu modifie le plat, touche finale issue d'une réflexion juste : ces cuisiniers ont la manie de penser. De réfléchir devant le piano – le tour de moulin à poivre sur l'assiette de foie gras. Une pincée de sel gros sur la salade de poissons. Un coup d'aile qui rend le plat original. Et la technique la plus sûre. On n'improvise pas la cuisson des écrevisses : la rigueur extrême. Gualtiero se rappelle la métamorphose du saumon à l'oseille cuit sur une Téfal, une authentique révolution.

Et la légèreté partout. La saveur. Ce sera plus tard la diététique gastronomique de L'Albereta, où de bons mangeurs ennemis du stress déjeunent et dînent pendant une semaine sans se lasser ni prendre de poids. Sans se priver de risotto, de spaghetti ni de ravioli. Car le délicat Gualtiero n'est pas l'ennemi de la pasta, de ces plats ancestraux qui ont fait la réputation de l'Italie des bouffeurs. Comme Guérard et les Troisgros, il refuse conformisme et habitudes qui annihilent toute créativité. Esprit curieux, ouvert au monde, homme de lectures, collectionneur de toiles et de sculptures, Marchesi s'est persuadé que « la cuisine italienne est autre chose que ce que l'on enseigne dans les écoles hôtelières ». Non, le minestrone n'est pas forcément une magnifique soupe, et la pizza, même au pain de Naples, ne vous envoie pas au septième ciel. C'est pourquoi il travaille le veau et le homard !

Un menu est un récital de contrastes, dit le Milanais. Ainsi ouvre-t-il le ravioli, une recette partout copiée – voir les lasagnes aux truffes de Pierre et Michel Troisgros 1996.

Pour lui, la pasta doit provoquer l'imagination du cuisinier ; c'est ainsi qu'il sert des spaghetti froids au caviar, ou aux oursins et pa-

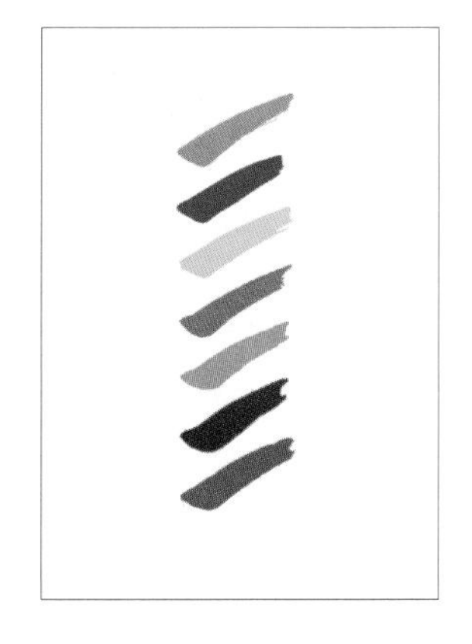

Dans le beau jardin de L'Albereta, les Marchesi avant le coup de feu du soir.

Une maison de maître sur la colline d'Erbusco pour la table et la méditation.

lourdes crues, et il adore les pâtes refroidies et assaisonnées. Ça se fait à Naples. « Les cuisiniers du Nord ignorent ce qui se mange au Sud », dit Gualtiero Marchesi, debout dans sa cuisine de marbre de L'Albereta.

Le créateur du risotto au safran et à la feuille d'or ne cesse de méditer sur la domination du feu. Le rapport entre la dimension de la poêle et la puissance de la flamme. Rissoler le lapin, saisir les langoustines, cuire à point les fettucini – quel type de pâtes pour le poisson ou la viande –, l'Italien de la Franciacorta vit comme un joyeux moine de la nouvelle cuisine. Il s'est installé ce havre de paix pour goûter la douceur de vivre et de bichonner les clients amis.

Sous la véranda hérissée de colonnes, fresques murales et vue admirable sur la campagne milanaise, ce restaurant-villa aux chambres dépouillées ne peut que séduire le gastronomade moderne. On y respire l'air du bien-vivre chez un seigneur milanais.

Le must de Marchesi : le risotto or et safran. Pour l'œil et la volupté.

Salade d'esturgeon au caviar
Risotto or et safran
Filet de veau Rossini

*

Blanc Ca del Bosco, Franciacorta, Zanella
Bellavista Chardonnay 88
Merlot Maculan 93

THE WATERSIDE INN
Le charme à l'anglaise

En souvenir de Georges Prade

De Londres, le village de Bray-on-Thames est à moins de 30 miles du côté de Windsor et d'Ascot – la banlieue de la gentry. Par le train *catched at* Paddington Station, il faut quarante minutes pour atteindre Maidenhead, un gros bourg industrieux, et, de là, le taxi en dix minutes vous dépose au bout de la rue principale de Bray où se trouvait jadis le pub à pintes, refuge des pêcheurs et des flâneurs – l'Angleterre préservée du *countryside*, comme dans un film de Peter Greenaway.

En vingt ans de travail, de sens de l'accueil et d'obsession du détail, Michel Roux a transformé l'endroit en un *river cottage*, un relais de campagne chaud et *cosy* doté d'un restaurant à terrasse (65 couverts) et de six charmantes chambres, bois blond et grands lits, toutes baptisées de nom français (Le Nid jaune).

Le dépaysement est prévisible : vous êtes au cœur de la campagne anglaise telle qu'on la rêve, verte et plate. Telle qu'elle est, quand l'environnement mis en valeur par le talent de l'hôte vous fait admirer tout ce qui vous entoure. La Tamise à vos pieds, les canards qui barbotent, le saule pleureur sous lequel on prend le champagne puis le café, et la paix qui est douceur et savoir-vivre. Une certaine Angleterre survit dans des maisons comme celle-ci, où tout est fait pour la satisfaction maximale du visiteur.

L'art de vivre, le sérieux du plaisir – comme le prône la chaîne des Relais et Châteaux –, vous les trouverez illustrés au Waterside Inn aussi bien à table qu'au *living room* et dans les chambres – voilà une adresse de week-end qui est une invitation au bonheur.

Modeste en dépit de la réussite des Roux Brothers, Michel, l'ancien pâtissier aux yeux bleus de Cécile de Rothschild, a baptisé ce relais « un restaurant à chambres ». Une note dactylographiée explique aux Anglais, 70 % de la clientèle, tout ce que ce concept – se nourrir sans frein et dormir après – signifie à l'heure où l'alcoolisme au volant estompe les

Au bord de la Tamise, une grande cuisine de poissons.

Un relais de campagne au bord de l'eau, à trente minutes de Londres.

Les mignardises, le chou à la crème et le whisky maison.

désirs gourmands dans les meilleures tables d'Europe. Les Haeberlin l'ont bien compris à L'Auberge de l'Ill en Alsace ; au fond du jardin bordé par la rivière, un petit hôtel attend les mangeurs qui peuvent se laisser aller à la dégustation de grands crus et d'eaux-de-vie. En toute quiétude. Un beau repas n'est rien sans la paix de l'âme.

The Waterside Inn a été métamorphosé par le blond Michel Roux en 1992, soit vingt ans après sa création. Le chef patron français a investi 800 000 livres sterling dans cette *white house* afin d'en faire une oasis de week-end pour les raffinés du palais. La reine Élisabeth et le prince Philip honorent les lieux de leur présence ; c'est pourquoi Michel Roux a édifié dans la nouvelle aile un salon et une salle à manger privés, meublés à l'anglaise avec des buffets ambrés, des murs de marbre colorés, et la vue sur un jardin privé.

Non, la salle à manger du premier étage n'est pas réservée qu'à Sa Majesté et à ses invités. Michel Roux offre les lieux à des personnalités de marque qui ont une cuisine privée pour le thé, le café, les *drinks* accompagnés de toasts d'apéritif au foie gras ou au saumon fumé. En semaine, la salle à manger fonctionne, et des repas d'affaires s'y déroulent en petit comité. C'est que la notoriété du Waterside Inn a contribué à la fréquentation du déjeuner – le menu trois-étoiles à un prix plus qu'incitatif.

La cuisine mijotée, travaillée, parfumée des maisons bourgeoises, celle des David Weill, des Rothschild, des Wildenstein, figure à la carte du Waterside Inn tout entière signée – et envoyée – par Michel Roux. Rarement absent, passionné par son art comme à ses débuts, Michel Roux demeure un modèle vivant pour la génération montante des jeunes chefs. Il a vécu pour les casseroles, le feu, les herbes et les produits de la terre, de la mer, et Dieu que la Grande-Bretagne est prolixe en poissons nobles, en coquillages iodés, en volailles, en viande de bœuf (Angus), en gibier à poil et à plume, en fruits, en légumes : le paradis pour un artiste de la poêle.

Partis de France sans un sou, Albert et Michel Roux ont fait fortune en Angleterre. Cela n'est pas un secret. Les deux frères règnent sur une dizaine d'enseignes du bien-manger : pâtisserie, boucherie, *cattering* et les restaurants, dont l'illustre Gavroche.

Deux trois-étoiles inventés – Le Gavroche rétrogradé en 1993 – et gérés par deux frères, débarqués à Londres avec 50 livres en poche en 1967 – c'est la *success story* classique, à l'américaine ; après un quart de siècle de labeur acharné – « seize heures de travail par jour », dit Albert Roux –, les deux *boys* pourraient se la couler douce en Provence où Michel possède une maison, en Australie car sa femme est de là-bas. Et vivre de leurs rentes.

The Waterside Inn

Eh bien, non, Albert conçoit les restaurants Berties dans les capitales d'Europe, et son frère, le cadet, le don juan Michel, à la voix grave, au regard clair, est fidèle au piano de ses débuts ; l'autre matin, il avait concocté lui-même le civet de lièvre du Waterside Inn, car le gibier est roi dans la campagne anglaise, et c'est cela qui plaît au gourmet de grande tolérance – respectueux des saisons – parce que de vraie gourmandise.

Qui ressuscite d'admirables préparations oubliées comme les veloutés, la crème Crécy, la soupe à l'oignon, les quenelles (trois heures de travail), les soufflés, les gratins (au crabe), les civets, les pâtés de gibier, les mousses (de saumon fumé), les poissons soufflés (sole farcie), les homardines (sauce au homard), le pithiviers et les soufflés aux fruits (à la mirabelle en bocaux et eau-de-vie) ? Qui se soucie de l'héritage de la grande cuisine française ? Qui perpétue des recettes et des tours de main, des assaisonnements et des méthodes qui ont été à la base du savoir-faire des queux d'aujourd'hui ? Du goût français qui a marqué notre façon de manger depuis des lustres ?

Les cartes des mets Roux créent ce lien si ténu entre les maîtres d'hier, les gros bonnets trousseurs de Rossini et les virtuoses de la fin du siècle, experts en mariage d'harmonies savantes. Chez les frères Roux, il y a le même amour de la Cuisine (grand « C ») que chez Joël Robuchon et Alain Ducasse. Le miracle est que cette préférence passionnée ait pour cadre l'Angleterre de la gentry où les Roux ont fait école. Près de mille gâte-sauce, chefs de partie, patrons de cuisine et ouvriers ont reçu l'enseignement des deux frères à la Roux Diners Club Scholarship dont les meilleurs élèves sont envoyés en stage chez les trois-étoiles français. Ainsi se perpétuent le style de vie et l'esprit de la France du bien-manger.

Soufflé Éléonora
Homard aux épices
Tronçonnettes de lièvres à la royale
Pithiviers

*

Champagne brut Belle Époque 88
Saint-Julien Château Beychevelle 82
Pauillac Château Lynch-Bages 70

La grande cuisine classique, issue d'Escoffier et de Point, reste à l'honneur chez Michel Roux.

THE RESTAURANT

Le premier Beatle des casseroles

Pour
Serena Sutcliffe

« A 6 ans, je voulais être chef , à 7 ans, Napoléon, et mes ambitions n'ont jamais cessé de croître. »

Ce mot de Salvador Dali est inscrit sur la belle carte en papier velin du restaurant de Marco Pierre White, au rez-de-chaussée du Hyde Park Hotel à Londres. Une phrase en forme de provocation, humour cinglant qui dessine en filigrane le caractère et la personnalité un rien *crazy* du premier chef anglais à être entré dans le cercle des trois étoiles d'Europe – c'était en janvier 1995, et Marco Pierre White avait 32 ans. Le Robuchon de la Great Albion ?

Un enfant prodige à la dégaine de rock star, plus grunge que Brummel, un fils de pauvre, père ouvrier à Leeds, orphelin de mère italienne à l'âge de 6 ans – l'école abandonnée en culottes courtes pour devenir arpète dans un hôtel d'Harrogate. Il s'agit de manger, et les arrière-cuisines de restaurant ont souvent donné le gîte et le couvert aux oubliés de la société.

Par défi, quelques semaines après cette initiation rude, il a le culot d'appeler Albert Roux au Gavroche, la meilleure table de Londres avec le Connaught, haute tradition française – Escoffier revu par Michel Guérard –, et le maître Albert, bon formateur de marmitons, engage dans la brigade l'inconnu Marco – il devra juste couper sa tignasse et apprendre la langue de Molière. Plus tard, au restaurant londonien de l'Italo-Britannique, tout le monde, en salle, parlera français.

Ainsi prennent racine les années de formation de ce jeunot provincial dont la passion pour l'art de nourrir ses frères humains va s'enrichir en stages de piano dans les maisons les plus respectées du royaume – la bonne filière pour ceux qui ont la toque sur la tête.

Il sait se placer dans le circuit londonien, La Tante Claire de l'Aquitain Pierre Koffman, ancien chef des frères Roux, et près d'Oxford, le Manoir des Quatre Saisons de Raymond Blanc, un superbe relais-château inventé par un autodidacte parti de rien et parvenu au sommet. Marco comme Raymond Blanc, venus du monde des humbles, vont s'élever grâce aux sortilèges de la haute cuisine qu'ils sauront apprivoiser.

Un cas, ce Marco. Au reporter de *L'Express* Yves Stavridès, Pierre Koffman en parle ainsi : « Marco est venu seulement pour voler mes recettes, mais je n'ai jamais vu un si grand chef dans une cuisine ! » Et Blanc d'ajouter : « White est aussi fou que moi ! »

Fou mais bourré de talent. Et acharné au travail. Dès l'aube découpant les turbots, essayant des garnitures et des herbes, dont il est friand.

Le songe du chef patron dans le salon du Hyde Park Hotel.

The Restaurant

AT SIX I WANTED TO BE A CHEF, AT SEVEN, NAPOLEON, AND MY AMBITIONS HAVE BEEN GROWING EVER SINCE

SALVADOR DALI

Marco Pierre White et sa femme dans la salle du Criterion, à Piccadilly.

La salle à manger du Restaurant, dans le Hyde Park Hotel.

A 27 ans, il ouvre son premier restaurant, le Harvey's, à Wandsworth, près de Cambridge. Deux ans plus tard, il décroche deux étoiles au Michelin anglais – fulgurante percée dans le firmament des stars du chinois. Associé au comédien vedette Michael Caine, il brûle les planches au Canteen : le voilà chef patron à Londres.

C'est alors que les talents scouts du puissant groupe hôtelier Forte l'approchent avec l'idée de lui confier un restaurant dans l'un des 18 *exclusive hotels* de la compagnie. Ce sera le Hyde Park Hotel à Knightsbridge, où un salon aux murs verts, parquet de bois ciré et entrée indépendante sur la rue est transformé en restaurant de luxe, maîtres d'hôtel français et coin fumoir pour les amateurs de pur malt et de cognac « Fine Champagne ».

Chef d'hôtel, pourquoi pas ? Michel Bourdin, ancien du Maxim's de l'après-guerre, sous Alex Humbert, génial aux fourneaux, ont longtemps été, au Connaught, les meilleurs chefs de Grande-Bretagne, dans le sillage des frères Roux. Et l'appui du groupe Forte est un sérieux tremplin pour accéder à la troisième étoile, dont Marco se sent capable.

Le Hyde Park Hotel, imposant édifice à l'architecture chantournée, clochetons, balcons, escaliers extérieurs comme à New York, fut en 1892, à sa naissance, un *block of residential chambers for gentlemen*, un club réservé à la gentry métamorphosé en 1910 en hôtel, le plus grand de Londres, 166 chambres et 19 suites, dont certaines donnent sur les *green acres of Hyde Park* : une adresse chic parfaitement située entre Harrods, Harvey Nichols et la verdure du parc.

Accro de la bonne chère, en vrai Italien porté sur les belles assiettes, Rocco Forte, fils de lord Forte, fondateur de l'empire (revendu depuis à Granada), donne sa vraie chance à Marco et baptise le restaurant de son nom comme le prince Rainier l'avait fait avec Ducasse en 1987 à Monaco. La captation des

Des plats à la française inspirés par les ténors du Michelin.

chefs stars, un « plus » pour n'importe quelle ville, principauté ou groupe hôtelier.

Quelques mois plus tard, c'est la consécration, la plus haute du podium, six semaines avant celle de Marc Veyrat, le montagnard d'Annecy – le seul Français avec qui Marco Pierre entretienne des relations. Car, ô miracle, l'Anglais n'a jamais mis les pieds dans un laboratoire de saveurs de l'Hexagone – aucun pèlerinage à Roanne, à Eugénie, à Saulieu, à Monaco. « Ce sera pour plus tard », lance amusé le chef du Restaurant.

Très vite, le cuisinier star du Hyde Park Hotel offre un patchwork de préparations de *sophisticated food* inspirées par la grande cuisine française contemporaine. Bien qu'il n'ait jamais fréquenté les monuments de la France de la gueule autrement que par des ouvrages de recettes (Marco en a déjà publié), il concocte des classiques comme les saint-jacques à peine saisies à l'orange, la tranche épaisse de bar au caviar, comme Pic à Valence, le foie gras chaud aux lentilles et girolles, les tagliatelles aux huîtres et caviar – les œufs

Un passionné de pêche à la ligne dès l'aube, après la fermeture du Restaurant.

d'esturgeon sont l'ingrédient vedette de sa carte, courte et de prix raisonnable.

Tout ce qu'il a vu, observé, mitonné chez les maîtres français de Grande-Bretagne et d'ailleurs figure dans son registre, de la ratatouille provençale au jus blond en passant par les pommes mousseline, le millefeuille à la tomate cher à Joël Robuchon, l'agneau mouginoise, les lentilles du Puy et le pain Poilâne. Sans oublier le soufflé Rothschild à l'abricot, en souvenir de son passage chez les frères Roux, princes des soufflés salés (suissesse au fromage) et sucrés (à la framboise ou au chocolat).

Cuisine d'hommages, de fidélité, de précision – Marco Pierre White n'est pas encore dégagé des multiples influences emmagasinées en quinze ans de sacerdoce culinaire.

Il est, pour l'heure, un personnage unique dans le paysage gastronomique anglais, un excentrique fou de pêche à la ligne – il lui arrive de remettre ses prises dans l'eau –, un obsédé de la qualité, un perfectionniste d'une extrême rigueur bien parti pour inscrire son nom dans l'Europe de la gourmandise.

Et l'empire Marco Pierre, sur le modèle des Roux, se profile à l'horizon : le Beatle du four à air pulsé s'occupe du Criterion, une magnifique brasserie au plafond d'or, site classé à Piccadilly, et il a racheté en juillet 96 Les Saveurs, étoilé Michelin de Park Lane. L'avenir lui appartient.

Ballottine de saumon aux herbes
Escalope de bar au caviar,
sauce champagne
Selle de lapin,
risotto aux herbes et asperges
Soufflé Rothschild aux abricots

*

Brut Perrier-Jouët
Meursault 92 Comtes Lafond
Gewurztraminer V.T. Trimbach

CHEZ NICO

Le chic de Nico

Pour
François Mora

A Londres, vous êtes dans Park Lane, en lisière de Hyde Park, à deux pas du Dorchester, le mythique palace 1930, rénové, remodelé par la volonté du sultan de Brunei, l'homme le plus riche du monde dit-on, propriétaire d'un palais ruisselant d'or dans sa capitale proche de la Malaisie, et qui a placé quelques grosses économies dans des affaires anglaises – ce Crésus gentleman veut être admis dans la City.

Par parenthèse, le Dorchester, *so british* dans ses atours kitsch, accueille jusqu'à 2 000 couverts le samedi soir avant Christmas et offre au chaland affamé trois stations de gueulardise, Le Grill et le scotch salmon, l'Angus beef, le cheddar ou le stilton accompagné de porto au verre ; Le Bar et un éventail de pâtes et de riz ; et L'Oriental, un impressionnant restaurant asiatique divisé en plusieurs salles à manger, l'indienne, la thaï et la chinoise. Je n'aurai garde de négliger le *five o'clock tea* servi dès 15 heures, pianiste de rigueur, dans le hall-promenade à l'allure d'un magasin d'antiquités, ponctué de canapés à fleurs et de tables basses pour le *chatting*. Toute l'Angleterre policée d'Agatha Christie et de Somerset Maugham.

Gâtée, pourrie, la clientèle *rich and famous*, souvent enturbanée du Dorchester peut faire rouler Rolls, Bentley et Jaguar jusqu'au coin de la rue et s'engouffrer chez Nico, dont le dais vert bouteille tranche sur le *pavement* gris

Le Grec Nico Ladenis, en pleine dégustation avec ses sommeliers.

Chez Nico
at Ninety Park Lane
Café NICO
0171 - 495 - 2275
2275

La salle à manger de Nico, tables espacées et langue de Molière.

métal. Impossible de ne pas voir l'enseigne et l'adresse « Chez Nico » at Ninety Park Lane.

Les hôtes du Grosvenor House, un autre des grands hôtels de la capitale anglaise – fameux ball room –, n'ont qu'un couloir à traverser pour se retrouver chez Nico et dans l'annexe, le Café Nico au Pavillion, *less formal*, où l'on voit que, dans Park Lane – le chic de l'avenue Montaigne combiné à l'avenue Foch –, il est difficile d'échapper à l'emprise de Nico Ladenis, un restaurateur sexagénaire né de parents grecs à Nairobi (Kenya), qui s'est fait un prénom dans le monde clos de la fourchette et du verre, au pays du *fish and chips*. Nico se décline comme suit : Simply Nico, Nico Central, Café Nico – l'art de succursaliser son nom.

Rond, chauve, court sur pattes, Nico a la dégaine d'une sorte de Bernard Blier de la gueulardise internationale. Happé par la griserie du business de la bouffe *smart*. Il est grec, tout le monde le croit italien, maestro de la pasta, du risotto au parmesan et du tiramisu – quoi, un Grec émigré d'Afrique régalerait les bouches anglaises ou d'ailleurs les plus délicates ? Eh oui, le rusé Nico a tout compris des méandres de la restauration de luxe à Londres, ce cocktail de snobisme, de plats à la mode et de notoriété dans les médias : Nico est l'un des quatre chefs d'Albion à avoir reçu l'« accolade », c'est-à-dire la troisième étoile, en 1995 pour le restaurant de Park Lane.

Le cursus du gaillard a de quoi surprendre : il est diplômé d'économie de l'université de Nairobi, et il a commencé sa vie en toque comme chef restaurateur chez Caltex, Ford Motor et au *Sunday Times*. Rejoignant la Shell, on lui a dit clairement qu'il n'avait pas le profil du cadre maison, et il claqua la porte. C'est alors, en 1973, qu'il ouvrit son premier restaurant à Dulwich. Six fois, il changea d'endroit, glanant plusieurs distinctions dans

A deux pas de Grosvenor House et du Dorchester, palaces mythiques, Nico ou la réussite d'un chef manager.

***P**aul, le chef de Nico : une cuisine classique modernisée, sans surprises.*

le *Good Food Guide* en 1976, dans le Michelin anglais avec la première étoile en 1981, et la deuxième en 1984. Élu chef de l'année en 1988, il est le premier restaurateur non français (Michel et Albert Roux, Pierre Koffman) et non anglais (Marco Pierre White en 1995) à entrer dans la galaxie des superstars.

Donc, nous voici chez Nico, *the London most acclaimed chef*, dans une salle à manger de boiseries tabac, moquette verte, tables bien espacées, plafond bas comme dans un *english club* au parrainage obligatoire. Rien ou peu de chose d'une salle de restaurant ampoulée ; un ensemble fonctionnel, objets de table, desserte et tables à tranchages millimétrés. Le dépouillement du décor sans fantaisie, un peu comme à l'Arpège de Paris, en plus vaste, sans la chaleur de l'accueil – le lunch paraît d'un calme en comparaison du Grill du Dorchester, bien plus animé, même le dimanche.

Que sert le chef le plus acclamé de Londres ? Quels sont ses secrets, ses tours de magie culinaires, ses points forts – et faibles ? Voulez-vous lire un *gastronomic menu* de l'hiver 1995, rédigé en anglais, que j'ai traduit :

Soupe de langoustines au sabayon de truffe
Saumon mariné, blinis au caviar d'Iran
Salade de haricots blancs à l'huile de truffe
et boudin de foie gras
Ravioli de fromage de chèvre
au coulis de poivre rouge
Saint-jacques grillées
au velouté de ciboulette
Sorbet de champagne
Seabass grillé à la purée de céleri
Médaillon de bœuf rosé aux champignons
Fromages
Mini-assiette gourmande, tarte au chocolat,
crème glacée à la vanille et fraise

Peu de *set dinner menus* rassemblent autant de plats attendus d'une table phare – qu'elle soit à Londres, à Berlin, à Madrid ou au Luxembourg. Grec de la race des marchands phéniciens, le rusé Nico sait combiner les produits nobles de la terre et de la mer en les parant de sauces, de veloutés, de coulis, de crèmes – préparations classiques, à peine effleurées par le modernisme du temps. La purée d'ail du pigeon de Bresse, le beurre blanc du saint-pierre, la sauce moutarde ou le gaspacho, la purée de cèpes du turbot, la *light sauce of fresh herbs* de la sole de Douvres, la mousse de saumon, la paupiette itou, la truffe en sabayon ou en vinaigrette, rien ne saurait dérouter, interpeller le gourmet aux références à la Dumas.

Tout est élégant, goûteux, assez convenu dans ce bréviaire de sage gourmandise, et l'on aurait tort de ne pas savourer le récital Nico, le Démosthène de la *mint sauce* qui ne craint pas de réduire une onctueuse sauce au Calvados pour le canard, et de mouiller le veau de vin de Madère et d'une *mustard sauce*. *Delicious, my dear !*

Vestige d'un style en perdition, cette musique rétro, inspirée d'Escoffier et du répertoire « palace d'aujourd'hui », ne peut que plaire aux Anglais de la « haute » et aux visiteurs du Commonwealth férus de curries, de chutneys et d'« assiettes gourmandes » au caviar et saumon fumé à la crème aigre (à la carte-menu de Nico, avec supplément).

Vieux lion de la restauration adapté aux manies des *ladies and lords*, aux yuppies habillés à Savile Row, col de chemise Windsor, chaussés de Churchs, singuliers lampeurs de champagne ou de scotch, Nico a appris, en un quart de siècle, les obsessions de bouche et autres ritournelles qui encanaillent les rupins de Park Lane.

Lui en fera-t-on grief ? Le Michelin, hors de France, de Suisse et de Belgique, valorise des chefs méritants, témoins d'une certaine conception de la grande cuisine. Oserait-on comparer l'art de Ducasse, de Veyrat, de Troisgros et la bonne chère de Nico à Londres, de Zalacain à Madrid et de Marchesi près de Milan ?

Les petites pâtisseries à la française pour escorter le Porto Vintage.

Le Michelin a le même podium pour tous.

Le gourmet, selon sa culture, sa sphère intime, son goût profond, procède à son propre classement. La mémoire parle et dresse des hiérarchies. Où se situe Nico le Grec ?

Saint-jacques poêlées aux poireaux
Raviolis de langouste, sauce aux truffes
Solette grillée, sauce légère aux herbes
Crème de citron confit aux fraises

*

Château Bouscaut Blanc 89
Château Clarke 90
Mumm de Cramant

LA TANTE CLAIRE

L'ascension du Tarbais Koffmann

Pour
André Daguin

Ah, le rugby pour un gars du Sud-Ouest, une passion qui emporte tout ! Un sport de voyous pratiqué par des gentlemen, disait Antoine Blondin – et, dans le cas de Pierre Koffmann, un bon géant barbu, né à Tarbes comme Alain Senderens, le ballon ovale a modifié le cours de sa vie. En poste à Lausanne comme gâte-sauce, il a plaqué les Suisses, la fondue et le fendant pour la capitale de la Grande-Bretagne, mère patrie du rugby. Pour vibrer aux matches de Twickenham, pour jouir de la troisième mi-temps, aussi.

Eh oui, le tournoi des Cinq Nations, la mêlée, les *moles* spontanés, les touches, les *up and under*, les drops et les placages au sol ont transformé l'enfant du Gers en un chef français fort bien adapté au climat britannique (ah, la triste pluie !), triplement étoilé en mars 1993 à La Tante Claire, en plein Chelsea. Une salle à manger sur la rue, des tableaux modernes au mur, un cadre reposant, plus minimal que chargé : la chère à l'honneur, pas le mobilier.

Par une étrange ironie du sort, La Tante Claire obtenait l'ultime macaron quand Le Gavroche d'Albert Roux la perdait – pour des

Au milieu de sa brigade, le barbu Pierre Koffmann, un boulanger d'exception.

LA TANTE CLAIRE

raisons qui échappent au commun des gourmets. Parce que le fils Albert succédait au père ? La sanction pour la sanction ou de vraies chutes de qualité ? Le Gavroche demeure une table de haute tenue, si plaisante au dîner dans le double salon si *british*. Et le soufflé suissesse n'a jamais été égalé. Allez-y !

Puisque nous abordons le jeu dangereux des étoiles britanniques, le dédain manifesté à l'égard de Raymond Blanc, chef patron du Manoir des Quatre saisons, ne peut qu'ébranler le gastronomade. Les chroniqueurs mastiqueurs qui ont poussé l'amour de la bonne chère jusqu'à Great Milton (vers Oxford, 71 km de Londres) ont pu juger du talent très classique, jamais déroutant de cet autodidacte des fourneaux – le meilleur chef d'Angleterre pour Maurice Baudoin, le puissant critique de restaurants du *Figaro Magazine*. Alors, pourquoi Bibendum boude-t-il le maestro Blanc ?

Donc, au début de l'année 1993, le pilier Pierre Koffmann prenait dans le guide rouge la place du Gavroche et d'Albert Roux (le père) chez qui il avait commencé, en 1971, son sacerdoce de chef français transplanté à Londres, pour cause de désir de rugby. On sait l'influence pédagogique dispensée par les deux frères Michel et Albert Roux sur une génération de queux britanniques. Sans ces deux garçons vifs, intelligents, bons praticiens, partis de rien, la cuisine moderne n'existerait pas en Grande-Bretagne. Près de mille commis, chefs de partie, patrons sont passés par l'école Roux, et c'est au Waterside Inn, l'élégant cottage de Michel Roux au bord de la Tamise, que Pierre Koffmann a pu prendre la mesure de son talent. Homme de risque, il a fait l'ouverture de cette maison délicieuse à vivre, repaire de fines gueules, il a piloté la cuisine avec maestria – Michel Roux lui avait laissé des années durant le poste de chef co-responsable. Sans la technique, la connaissance des recettes Roux, des produits – à commencer par les gibiers – et une touche personnelle discrète (la ventrèche croustillante dans la salade de langoustines et de petits légumes), Pierre Koffmann n'aurait pas ainsi explosé chez La Tante Claire dans les années 80.

Pourquoi La Tante Claire ? Une parente des Koffmann ? Une cuisinière cordon bleu ? Que non. Cherchant un nom français en compagnie de ses partenaires financiers, Koffmann avança les deux seuls vocables français connus des Anglais : « La plume de ma tante est sur le bureau de mon oncle. » A la tante s'ajouta le prénom Claire, identique dans la langue de Shakespeare. Née d'une *private joke* ou d'un *cartoon* de Punch, la tata Claire, en deux ans de montée en puissance, glana deux étoiles. Un exploit. La cuisine aux parfums aquitains du Gargantua de Tarbes plaisait aux inspecteurs du guide rouge. Et ce n'était pas fini. Sorti de la piétaille des *cooking Frenchies*, Koffmann était promis au bâton de maréchal, au prix Nobel, comme le dit le cher Juan Mari Arzak de San Sebastián.

Qu'est-ce qui plaît tant aux scribes touilleurs du Michelin ? En quoi la carte des mets de Tante Claire – ornée d'une litho de Matisse – est-elle l'égale de celle de Michel Roux, numéro un de Grande-Bretagne pour le guide rouge ? C'est qu'elle est un modèle d'habileté, mêlant les origines basques, le terroir de Koffmann aux *must* exigés par le Michelin. Foie gras, truffe, homard sont bien là, plusieurs fois mentionnés et déclinés en toute simplicité. L'avisé Koffmann redoute l'esbroufe et les plats en fac-similé – il dit très bien, lui le bouffeur-jouisseur, qu'il envoie les assiettes qu'il aimerait manger. « Je respecte mon client comme si c'était moi qui devais me nourrir, et non lui. »

Ne doutez pas de la sincérité du queux, élevé par une mère admirable dans le climat des vertus paysannes : la vérité de la vie surgit de la terre. Côté nourritures, la ferme est le berceau de tous les repas. « A peine le déjeuner achevé, ma mère racontait le repas du soir. » Toute une existence près du four à charbon, le marmot dans ses jupes.

L'ensemble des figures imposées, de la galette de foie gras au Sauternes jusqu'à la noix de ris de veau rôtie en passant par le bar au four en civet et le filet de chevreuil au chocolat amer et au vinaigre de framboise (le délire de sucre des Anglais), tout ce qu'il faut intégrer dans sa pratique pour prétendre à la triple couronne est là, traité par le queux lui-même, en veste blanche, au poste « viandes » à la lisière du passe : Pierre Koffmann surveille tout ce qui part en salle, une douzaine de tables, pas plus. C'est l'artisan cuiseur, découpeur, parfumeur, goûteur attelé à sa tâche, et fier de l'être. Fier de sa condition, un peu éberlué d'avoir rejoint les grands Roux au faîte de la célébrité. Le travail acharné a payé. Le public chic de Londres a suivi.

Bien sûr que l'on souhaiterait plus d'authenticité tarbaise, un souffle plus vif venu de chez Daguin à Auch, un confit, le cassoulet – et pas seulement les haricots d'or. Et le saumon cuit confit. Certes la garbure au canard est là, et les escargots sont en millefeuille mouillé au coulis de champignons, mais on devine le maître de céans un rien contraint de pianoter la partition obligée des tables de luxe. Que ne laisse-t-il parler son âme d'Aquitain, et les plats savoureux de maman, comme l'assiette canardière aux deux sauces, juxtaposition du cou, du magret, des cuisses en salmis, et des bourses en confit : un bel essai transformé de plat « terroité ». Tout comme la croustade aux pommes.

Avant la guerre du Golfe, La Tante Claire était le restaurant le plus couru de Londres, autant que Le Gavroche, complet au moins cinq semaines à l'avance. Un plébiscite pour le Tarbais et son équipe de Français en salle, menée par Mme Koffman, en charge de la très sobre décoration.

La récession bouleversant les règles, La Tante Claire a peu souffert du marasme. Au déjeuner, un menu cadeau, l'équivalent d'un seul plat du dîner. Il a fallu s'adapter.

Si les Japonais se font moins présents, lady Di, le prince Charles et les princesses de la Cour n'ont cessé d'occuper les tables – le garde du corps jeûnant dans le petit salon. L'aristocratie anglaise ne mollit pas. Elle est toujours là, disposée à cueillir tous les plaisirs.

A quarante-trois ans, Koffmann n'a guère le temps d'avoir le mal du pays. C'est un des queux étoilés les plus occupés de la planète. Exemple, le pain : c'est un grand mouleur de miches devant l'Éternel. Pas moins d'une demi-douzaine de petits pains aux olives, à l'avoine, aux chocolats, à la tomate (pizza pas loin), au levain, aux céréales, quelque dix kilos de farine par jour, et deux fours inox qui jouxtent la table à pâtisserie, la gnaule en patois. Dès le 12 août, *the grouse* ! Et le chevreuil, le lièvre toute l'année. Pour un peu, on l'entendrait marmonner devant le piano brûlant, comme Alain Chapel : « Ma cuisine, c'est ma villa. J'y passe dix-huit heures par jour ! » Cafouilleur, désorganisé, excité devant les casseroles, ainsi qu'il l'avoue lui-même, Koffmann mène son *team* comme sur le terrain de rugby, tous pour un, un pour tous. C'est aussi la loi dans les grands restaurants. D'Artagnan, pas mort.

Du champagne rosé pour accompagner la croustade aux pommes : un accord à l'anglaise.

Coquilles saint-jacques à la planche,
sauce encre
Saumon confit, haricots tarbais
Pied de cochon aux morilles,
purée de pois cassés
Croustade aux pommes caramélisées

*

Champagne brut Château de Boursault
Saint-Véran Georges Dubœuf 90
Pinot noir Turckheim 90

Fredy Girardet à la fenêtre de l'hôtel de ville de Crissier, à six kilomètres de Lausanne.

GIRARDET

L'exemple absolu

Pour Gabriel Sacrez

« Avant d'être accepté par la Suisse, je l'ai été par les Français. C'est ce qui m'importait. » Cheveux blancs, l'allure sereine, le beau Fredy fait son tour de salle après le dîner. Cinquante mangeurs heureux. Chaloupant entre la douzaine de tables, non comme la star internationale qu'il est devenu en trente ans de vie aux fourneaux de Crissier, un village industriel de la banlieue de Lausanne, mais en hôte à la fois chaleureux et discret, confident des visiteurs et médecin des âmes. Car la joie de manger la vérité est ici belle et pure. Elle est comme un miracle issu du mystère de la Création – comment un fils de bistrotier lausannois, autodidacte complet, a transmis savoir-faire éthique et méthodes à quelques vedettes des casseroles de la France gourmande ? Comment, en venant chez lui, dans cet ancien réfectoire de la commune, les Jacques Lameloise, Michel Troisgros, Jean-Michel Lorain ont modifié leur vision de la grande cuisine comme s'ils avaient rendu visite au Prix Nobel de l'art de cuire, à une sorte de saint laïc de la restauration moderne ?

Vingt cuisiniers pour cinquante couverts par service : le record toutes catégories.

Les pains et brioches maison, servis avec les vieux gruyères des alpages.

Le Michelin n'a accordé la triple couronne à ce Vaudois à l'accent marqué qu'en 1994 non à cause d'une quelconque bouderie ou mise à l'écart, tout simplement parce que la fabrique de pneumatiques a attendu la dernière décennie du XXe siècle pour faire paraître un guide rouge d'Helvétie. Une sorte d'affront pour un pays phare du tourisme mondial. Fredy Girardet est le seul chef suisse en haut du podium.

Des principes culinaires de rigueur, l'obsession du produit noble et authentique, la finition de l'assiette sans qu'elle soit l'œuvre d'un cuisinier peintre, la nécessaire dépendance de la nature et de la saison, tout cela constitue les bases de l'univers Girardet, le professeur qui n'a fréquenté aucune école. Au-delà, l'homme, par son regard clair et sa présence quotidienne dans les cuisines du Crissier, a imposé une sorte de morale, de conscience de son métier qui va bien plus loin que l'exemple. La grande cuisine, vécue comme une astreinte de fer, Girardet l'a acceptée, avec abnégation.

Que retenaient-ils de si précieux, ces professionnels en toque blanche ? « Ma cuisine de produits, des techniques simples, oui. Et surtout un grand respect des cuisiniers et de la matière première accentué par le dévouement total au métier, indique Girardet, assis au premier étage du restaurant, un verre de blanc suisse à la main. Je vis la vie du restaurant au jour le jour. Je n'ai jamais fait de *consulting* ni de banquets en Extrême-Orient. Je ne suis allé qu'une seule fois au Japon avec Bocuse et Robuchon, je ne voyage jamais. Peut-être ai-je tort ? C'est comme ça. »

Accroché au navire, tel le pacha au milieu des hommes. Ainsi s'est créée, au fil du temps, la régularité de la chère à Crissier. La qualité jamais prise en défaut, et une clientèle d'une fidélité inouïe. Il fait bon observer le sourire des gourmets suisses qui ouvrent leur cœur au maître de Crissier. Chez lui, le bonheur est palpable, même si la population suisse, japonaise et américaine intériorise ses sentiments.

C'est vrai que Girardet a du génie, que certaines préparations marquent la mémoire à jamais, l'aile de poularde aux poireaux et aux truffes, le sauté gourmand de foie de canard aux noix et au vinaigre balsamique, le rognon Bolo dans son dépouillement, la dorade aux fèves et huile vierge au fenouil, la royale de truffe et d'aile de poulettes, une merveille de délicatesse et de parfums – et l'on pourrait citer vingt, trente, quarante plats. Le Suisse avoue qu'il possède la matière de deux ouvrages de cuisine, près de trois cents recettes, mais qu'il n'a pas le temps de les coucher sur le papier. Dommage pour les épigones !

De tous les grands cuisiniers du monde, Fredy Girardet est le plus fécond, le plus productif, le plus créatif, car son cerveau est travaillé par l'inquiétude, par le désir de se renouveler, d'avancer, de jouer avec d'autres produits – il y a chez lui une angoisse existentielle qui ne le laisse jamais en repos. C'est l'éternel insatisfait ; comme le misanthrope de Molière se défie des humains, Girardet doute de lui-même. Le socle de son message, c'est le produit de saison. Si décevant par les temps qui courent. Qu'est-il sans l'agneau des Pyrénées ? « Que vais-je placer dans le menu à quatre plats quand je n'aurai plus de gibier ni de saint-jacques ? Et quand les crustacés de Bretagne disparaîtront ? Et pourquoi donner du foie gras en été ? Ce n'est pas le moment ! »

Ah, que l'on aurait aimé croquer les crevettes géantes à la catalane, le steak de veau à l'échalote et au poivre noir, l'entrecôte du maître – ce furent les plats des origines, avant que la télé US ne produise soixante minutes en direct de sa cuisine vers le continent américain ! Une si petite promotion...

De tous les pays du monde surgissent des tentations, des écrevisses d'Australie, les grenouilles d'Europe de l'Est, et le Suisse les rejette, avec regret. Pas assez proche du produit parfait. Le queux n'exerce son art qu'avec un Stradivarius. Les fac-similés le dépriment ; grâce au produit parfait surgit le désir de créer le plat. Pas autrement.

Il faut dire que, si la perfection existe en cuisine, Fredy Girardet l'approche au plus près. Comme chez Robuchon et chez Ducasse, certaines préparations feu d'artifice procurent un plaisir tellement subtil que l'on se dit que nulle part ailleurs le rouget sur un léger aïoli, le foie gras en gelée de grains nobles, le pigeon en croûte de truffes ne pourront être meilleurs, aussi délicats, finis avec une telle précision. C'est la patte du créateur qui nous fait jubiler.

Aucun cuisinier au monde n'a été pillé, plagié comme Fredy Girardet. L'homme en a été affecté. Sont-ce là des pratiques honorables quand on a la charge de nourrir les hommes, et d'imposer un style à soi ? Dans l'Antiquité, la copie était interdite.

***En** ouverture,*
la baudroie en médaillon.

« Le rouget en écailles de pomme de terre puis en écailles d'aubergines, je n'ose plus le présenter car on dira que c'est moi qui l'ai emprunté à un confrère ! » Un comble. Même réflexe pour Alain Ducasse à Monaco.

Assis dans cette salle à manger aux lignes pures, d'allure monacale, sans afféteries ni astuces de décoration, un peu comme chez Chapel à Mionnay, le gourmet ne peut être que concentré sur la succession d'assiettes à venir. Des nappes vieux rose, une moquette multicolore, et le spectacle de la découpe, du travail en salle – une brigade aux aguets dénuée d'obséquiosité – tous les plats sont annoncés et décrits par les maîtres d'hôtel.

Il faut choisir l'un des deux menus, c'est la recommandation de Fredy Girardet en personne, qui organise le récital des plats selon un ordre de saveurs et de goûts calculés, les aigres

Une partie des desserts, dont la tarte valaisanne. Il faut goûter l'admirable soufflé aux fruits de la Passion.

et les doux, les puissants (crustacés) et les suaves, les textures et les parfums.

Il est illusoire de vouloir commander quatre plats sans le conseil de Girardet ou du premier maître d'hôtel M. Villeneuve, en veste blanche – la complexité des garnitures, des épices, des condiments réclament une gradation. Comment placer dans votre repas la tourte de homard ou la salade de homard sauce corail ?

Bien que l'environnement décoratif laisse froid, l'art de Girardet conjugue au plus fin rigueur et fantaisie. Le classique donne la main au poète, et l'acier de la préparation – ah, ces cuissons de poissons ! – répond à la frivolité des saveurs. Je ne veux pas dire « canaille », surtout en Suisse, le pays de Calvin, mais les effluves d'ail sous le rouget, le foie gras en gelée que l'on coupe comme des aiguillettes, le succès praliné glacé en duo avec la galette de framboises, tout cela aguiche le palais et ajoute encore aux faisceaux d'émotions. Ah, les papilles, un festival fou ! Que dire encore de la gamme de plats de la carte – la plus claire du monde, la plus longue à déchiffrer car le travail proposé se dévoile ainsi, comme chez Chapel. Les desserts, aux fruits pour la majorité, les tartes et les soufflés – des chefs-d'œuvre – composent un final éblouissant. Et je ne dis rien du plateau de vieux fromages de gruyère !

Côté vins, le maître est un ardent propagateur des blancs et rouges des appellations locales. Il faut goûter les vins choisis par l'excellent sommelier Grillet – comme le Château du Rhône – et se laisser envoûter par les blancs frais de chasselas ou de chardonnay. L'œnophile apprendra que les champagnes les plus vendus sont le Cramant de Mumm et le Cristal de Roederer, et, dans les bordeaux, les trois étoiles montantes restent Ducru-Beaucaillou, Pichon-Lalande et Lynch-Bages. Dans la vallée du Rhône, région louée par Girardet, Beaucastel, Rayas en tête. Et le Meursault en Bourgogne avant les Puligny.

En 1989, Girardet fut sacré cuisinier du siècle par Gault et Millau avec Joël Robuchon et Paul Bocuse. Gêné par cet honneur, Girardet a cherché à refuser. Il a voulu convaincre les deux chefs amis. « Et les autres grands ? Et Alain Chapel ? Et Jean Troisgros à titre posthume ? Pourquoi moi ? En vertu de quel verdict ? »

L'humilité du géant. Et sa profonde modestie. Voilà un personnage d'exception dans le paysage culinaire au XXe siècle. Saluons-le debout, avant le régal des papilles.

Royale de truffes et d'ailes de poulettes
Sauté gourmand de foie au vinaigre balsamique
Rognon de veau Bolo
Succès de fraises des bois au pralin

*

Champagne Mumm de Cramant
Chasselas 94
Listrac Château Clarke 85

Le champagne en pole position

La Champagne éternelle expédie 35 % de sa production annuelle à l'export dans 140 pays du globe, soit quelque 86 millions de cols – deux pays leaders, l'Allemagne et la Grande-Bretagne, avec 17 millions de cols, devant les États-Unis, la Belgique, la Suisse, l'Italie, les Pays-Bas (2 millions de cols).

De tous les grands vins français, le champagne est, de loin, le plus et le mieux distribué dans le monde. Voici une modeste *trattoria* du ghetto de Venise, les cinq marques phares figurent sur la *carta dei vini*. Hélas, présentées en devanture, soumises à la lumière…

A l'apéritif, la flûte ou la coupe – *the glass, la coppia* en Espagne, *la coppa* en Italie – règnent partout. La source pétillante n'est pas près d'être tarie. Le monde entier veut biberonner des bulles, et le champagne demeure la référence de qualité, le vin fondateur et le symbole d'un instant culturel. Le champagne, rien que du champagne pour l'élite des buveurs – le vin civilisateur par excellence, issu de la France des sacres, de Clovis, de Saint Louis, des Valois et des Bourbons, de Versailles, de Charles de Gaulle, qui en faisait servir chez lui à la Boisserie… Sans rival, l'empereur des vins. Le consensus absolu.

Personne ne conteste l'aura et la puissance évocatrice du vin des coteaux. Le champagne a su se démocratiser en se multipliant – l'amateur ne peut que s'en réjouir. Ce grand vin a un don d'ubiquité, sans aucun doute.

Hors des frontières de l'Hexagone, le vin blond ne reçoit pas le noble traitement que son rang mérite. Il est rarement servi comme un grand vin apte à mûrir – surtout quand les bruts millésimés sont porteurs de promesses. Et de beauté. Il n'est pas conservé comme ses cousins de Bordeaux ou de Bourgogne afin de se bonifier avec les années et de délivrer arômes, parfums et fragrances mis à jour par le temps. Bu trop vite, sifflé prestement selon le mot de Rabelais, il n'est pas valorisé ni honoré comme il le devrait.

Les exemples sont légion, navrant le champagnophile le plus tolérant. En Italie, à Venise, le champagne conserve un statut de vin de luxe (et non de confort), et il réjouit le palais et l'esprit des visiteurs de la cité lacustre, riche d'une centaine d'hôtels trois, quatre et cinq étoiles Tourisme. Au Danieli, au Gritti, au Cipriani, adresse chère à Hemingway, à l'Excelsior du Lido, à l'hôtel des Bains, où Visconti filma *La Mort à Venise*, le champagne n'est pas beaucoup mieux considéré que les mousseux « prosecco » et « spumanti » sur les cartes de vin – y compris par les maîtres d'hôtel sommeliers, peu avertis des caractéristiques des cuvées, des marques et des « vintages ». L'ignorance des diacres du champagne de France, à l'exception de quelques connaisseurs des terroirs et AOC, ne laisse d'accabler le champagnophile attentif au destin du breuvage des sacres royaux – ne faudrait-il pas concerner les prescripteurs, transmettre la bonne parole, expliquer la pétillance champenoise, ses sortilèges et sa magie, en même temps que l'on approvisionne les marchés ?

Le commerce d'un vin chargé d'histoire exige une éducation permanente des médiateurs, lesquels ne sont jamais rétifs à un discours motivant. Mieux on perçoit les secrets d'un vin de haute lignée, mieux on sait le faire aimer. Depuis les années 80, le champagne détient une position phare dans l'univers des bars et des restaurants d'Europe, un large créneau forgé par l'attrait du champagne au verre – la révolution contemporaine de l'apéritif. C'est un bon début, il faut continuer le combat en accentuant la présence du vin des sacres ailleurs – à table – et en le mariant à des plats. Les repas, les fêtes, les petits déjeuners au champagne en cours à Londres sont un objectif nécessaire à l'expansion du vin star dans les pays développés. L'apéritif ou la mise en bouche par la noble pétillance constituent le bon tremplin ; il s'agit de mettre en place le message et la communication. La mode – mieux, la faveur – du champagne doit être soutenue par les Champenois et leurs émissaires.

Bernard Loiseau, la pétillance du vrai talent.

De Dublin à Marbella, de Copenhague à Palerme, en passant par Hambourg, Zurich, Prague, les prescripteurs sont dans l'attente de l'effet champagne. L'écrin est là. Au Danieli de Venise (1 600 bouteilles par an), le vin d'Aÿ, de Reims et d'Épernay est cantonné au bar, dans les salons à boiseries du doge Dandolo : que n'est-il servi à La Terrasse, le magnifique restaurant panoramique du cinquième étage ? En voilà un cadre à sa mesure !

De l'autre côté du Grand Canal, sur l'île de la Giudecca, au Cipriani cher à lady Diana, le directeur général Natale Rusconi a pris l'initiative de proposer du château d'Yquem au verre – un succès foudroyant. A quand une grande cuvée (à 9°) sur le carpaccio, les canneloni piémontaise ou le branzino (loup de mer) mariné à l'huile d'olive ? Vins de Champagne et mets, il faut susciter le goût juste.

Nicolas de Rabaudy

L'ITINÉRAIRE DES TABLES DE RÊVE

FRANCE

L'AMBROISIE - Bernard Pacaud, 9, place des Vosges, 75004 Paris. Tél. : 01. 42.78.51.45
Fermé dimanche et lundi, vacances scolaires de février et trois semaines en août.

ARPÈGE - Alain Passard, 84, rue de Varenne, 75007 Paris. Tél. : 01. 45.51.47.33
Fermé samedi et dimanche à déjeuner.

ALAIN DUCASSE - 59, avenue Raymond-Poicaré, 75116 Paris. Tél. : 01. 47.27.12.27
Fermé samedi et dimanche, et en juillet .

LUCAS CARTON - Alain Senderens, 9, place de la Madeleine, 75008 Paris. Tél. : 01. 42.65.22.90
Fermé samedi midi et dimanche, trois semaines en août et deux en fin d'année.

TAILLEVENT - 15, rue Lamennais, 75008 Paris. Tél. : 01.45.61.12.90 et 01.44.95.15.01
Fermé samedi et dimanche, et en août.

AUBERGE DE L'ÉRIDAN - Marc Veyrat, route des Pensiers, Veyrier-du-Lac (près d'Annecy). Tél. : 04.50.60.24.00
Fermé le mercredi. Chambres sur le lac.

LAMELOISE - 3, place des Armes, 71150 Chagny-en-Bourgogne. Tél. : 03.85.87.08.85
Fermé mercredi et jeudi jusqu'à 17 heures, et du 22 décembre au 27 janvier. Chambres et appartements.

PAUL BOCUSE - 40, rue de la Plage, 69660 Collonges-au-Mont-d'Or (à 5 km de Lyon). Tél. : 04.72.42.90.90
Ouvert toute l'année. Pas de chambres (voir, à Lyon, l'hôtel de la Tour Rose).

MICHEL GUÉRARD - LES PRÉS D'EUGÉNIE - 40320 Eugénie-les-Bains. Tél. : 05.58.05.06.07
Fermé mercredi et jeudi midi, et du 1er décembre au 24 février. Chambres, appartements, cures thermales.

L'AUBERGE DE L'ILL - Haeberlin, Illhaeusern, 68150 Ribeauvillé. Tél. : 03.89.71.89.00
Fermé lundi soir (et midi l'hiver) et mardi, en août et la première semaine de juillet. Chambres.
Et hôtel La Clairière (à 1 km).

LA CÔTE SAINT-JACQUES - Michel et Jean-Michel Lorain, 14, faubourg de Paris, 89300 Joigny. Tél. : 03.86.02.69.70
Fermé du 3 janvier au 4 février. Chambres et appartements.

ALAIN CHAPEL - Route nationale 83, 01390 Mionnay (à 18 km de Lyon). Tél. : 04.78.91.82.02
Fermé lundi et mardi midi, et en janvier. Chambres.

LE LOUIS XV - Alain Ducasse, Hôtel de Paris, place du Casino, 98888 Monte-Carlo, Principauté de Monaco.
Tél. : 377.92.16.30.01
Fermé mardi et mercredi hors saison, du 22 février au 11 mars et du 29 novembre au 29 décembre.
Chambres et appartements à l'hôtel de Paris et à l'Hermitage.

LES CRAYÈRES - Gérard Boyer, 64, boulevard Henry-Vasnier, 51100 Reims. Tél. : 03.26.82.80.80
Fermé lundi et mardi jusqu'à 16 heures, et du 21 décembre au 12 janvier. Chambres et appartements.

TROISGROS - Place Jean-Troisgros, 42300 Roanne. Tél. : 04.77.71.66.97
Fermé mardi soir et mercredi, et de la mi-février à la mi-mars. Chambres et appartements.

LA CÔTE D'OR - Bernard Loiseau, 2, rue d'Argentine, 21210 Saulieu. Tél. : 03.80.64.07.66
Fermé lundi et mardi midi de janvier à mars, et du 29 novembre au 29 décembre. Chambres et appartements.

LE CROCODILE - Émile Jung, 10, rue de l'Outre, 67000 Strasbourg. Tél. : 03.88.32.13.02
Fermé dimanche et lundi, du 11 juillet au 2 août et du 24 décembre au 3 janvier. Chambres à l'hôtel Hilton.

LE BUEREHIESEL - Antoine Westermann, parc de l'Orangerie, 67000 Strasbourg. Tél. : 03.88.61.62.24
Fermé mardi et mercredi, du 22 décembre au 4 janvier, fin février et trois semaines en août. Chambres au Hilton et à l'hôtel Baumann.

L'ESPÉRANCE - Marc Meneau, Saint-Père-sous-Vézelay, 89450 Vézelay. Tél. : 03.86.33.20.45
Fermé mardi et mercredi midi, et du début janvier au début février. Chambres et appartements.

GEORGES BLANC - 01540 Vonnas. Tél. : 04.74.50.00.10
Fermé mercredi et jeudi, ouvert pour le dîner du 15 juin au 15 septembre. Fermé cinq semaines en janvier.
Chambres et appartements.

ALLEMAGNE

SCHWARZWALDSTUBE - Hôtel Traube Tonbach, Tonbachstrasse 237, 7292 Baiersbronn (à une heure de route de Strasbourg). Tél. : 4920
Fermé lundi et mardi, du 11 janvier au 2 février et du 5 au 27 juillet. Chambres et appartements.

IM SCHIFFCHEN - Jean-Claude Bourgueil, Kaiserswerthermarkt 9, 4000 Düsseldorf. Tél. : 401050
Dîner seulement. Fermé dimanche et lundi, une semaine à Pâques et une semaine à Noël.

BELGIQUE

DE KARMELIET - Gert Van Ecke, 19, Langestraat, 8000 Bruges. Tél. : 33.32.59
Fermé dimanche midi l'été et soir l'hiver, du 24 juin au 8 juillet et deux semaines en janvier. Chambres à l'hôtel Die Swaene, à 300 mètres.

BRUNEAU - Jean-Pierre Bruneau, 75, avenue Broustin, 1080 Bruxelles. Tél. : 427.69.78
Fermé mardi soir, mercredi, jeudi et jours fériés, et de la mi-juin à la mi-juillet. Pas de chambres.
Tout près de la Grand-Place, hôtel Royal Windsor.

COMME CHEZ SOI - Pierre Wynants, 23, place Rouppe, 1000 Bruxelles. Tél. : 512.29.21
Fermé dimanche et lundi, en juillet, à Noël et au Nouvel An. Pas de chambres.

ESPAGNE

ZALACAIN - 4, Alvarez de Baena, 28006 Madrid. Tél. : 561.48.40
Fermé samedi, dimanche et jours fériés, à Pâques et en août. Pas de chambres.
Hôtel Wellington, Velasquez 8, et Novotel, près de l'aéroport.

EL RACÓ DE CAN FABES - Santi Santamaria, 6, San Joan, San Celoni (à 119 km de Barcelone). Tél. : 867.28.51
Fermé dimanche soir, lundi, en février et début juillet. Chambre à l'Hôtel suisse.

ARZAK - Juan Mari Arzak, Alto de Miracruz 21, 200015 San Sebastián. Tél. : 27.84.65
Fermé dimanche soir et lundi, quinze jours en juin et en novembre. Pas de chambres.
Hôtel Maria Cristina à San Sebastián et, à Biarritz, le Palais et le Miramar.

ITALIE

ANTICA OSTERIA DEL PONTE - Ezio et Maurizio Santin, piazza G. Negri 9, 20080 Cassinetta di Lugagnano (à 23 km de Milan par l'autoroute de Turin). Tél. : 9420034
Fermé dimanche et lundi, en août et du 25 décembre au 12 janvier. Pas de chambres. Hôtel Italia à Abbiategrasso (à 3 km).

DAL PESCATORE - Nadia Santini, Canneto sull'Oglio, 46013 Runate (à 38 km de Mantoue). Tél. : 72.30.01
Fermé lundi et mardi, début juillet et fin août. Chambres à l'hôtel Margo, à 2 km.

L'ALBERETA - Gualtiero Marchesi, Bellavista, Erbusco (à environ 50 km de Milan). Tél. : 7760550
Fermé du 1er au 26 janvier. Chambres, appartements.

ROYAUME-UNI

THE WATERSIDE INN - Michel Roux, Ferry Road, SL6 ZAT, Bray-on-Thames (à 25 km de Heathrow). Tél. : 20691
Fermé lundi et mardi, et du 2 décembre au 7 février. Chambres.

THE RESTAURANT - Marco Pierre White, 66, Knightsbridge, SW1X 7LA, Londres. Tél. : 259.5380
Fermé samedi midi et dimanche, deux semaines à Noël et deux semaines en août. Chambres à l'hôtel Hyde Park.

CHEZ NICO - 90, Park Lane, WIA 3AA, Londres. Tél. : 409.1290
Fermé samedi, dimanche, à Pâques et à Noël.

LA TANTE CLAIRE - Pierre Koffmann, 68, Royal Hospital Road, SW3 4HP, Londres. Tél. : 352.6045
Fermé samedi et dimanche, à Noël et au Nouvel An. Pas de chambres.
Hôtel Méridien à Piccadilly, au cœur historique de Londres.

SUISSE

GIRARDET - Fredy Girardet, place de l'Hôtel-de-Ville, 1023 Crissier-Lausanne. Tél. : 634.05.05
Fermé dimanche et lundi, du 2 décembre au 14 janvier et du 1er au 22 août. Pas de chambres.
Hôtel Ibis à Crissier, et Le Débarcadère, Relais-Château, à Saint-Sulpice (à 4 km de Lausanne).

Achevé d'imprimer
par MAME Imprimeurs à Tours
Dépôt légal : octobre 1996
N° 38348